Luciana Ziglio • Giovanna Rizzo

A1

NUOVO
Espresso

corso di italiano

**libro dello studente
e esercizi**

1

indice

indice

		Contenuti comunicativi	Grammatica e Lessico
lezione 6	**In giro per l'Italia** p. 75 **Videocorso 6** La seconda a destra p. 86 **Caffè culturale 6** p. 88	• descrivere un luogo • chiedere un'informazione e reagire • descrivere un percorso • rammaricarsi • indirizzare qualcuno ad altre persone • scusarsi • parlare degli orari di apertura e di chiusura	• *ci* e il verbo *andare* • la concordanza degli aggettivi con i sostantivi • gli aggettivi in *-co/-ca* • il partitivo (l'articolo indeterminativo al plurale) • *molto* • indicazioni di luogo • i verbi *dovere* e *sapere* • *c'è un …? / dov'è il …?* • gli interrogativi *quando* e *quale* • l'orario (*a che ora …?*)
lezione 7	**Andiamo in vacanza!** p. 89 **Videocorso 7** Cos'hai fatto tutto il giorno p. 100 **Caffè culturale 7** p. 101	• raccontare eventi del passato • parlare delle vacanze • locuzioni temporali nel passato • parlare del tempo	• il passato prossimo • il participio passato regolare e irregolare • il superlativo assoluto • *tutto il / tutti i* • la doppia negazione • *qualche*

Facciamo il punto 3 - p. 102 - Gioco - Bilancio e progetto

		Contenuti comunicativi	Grammatica e Lessico
lezione 8	**Sapori d'Italia** p. 105 **Videocorso 8** Il panino perfetto p. 114 **Caffè culturale 8** p. 116	• parlare degli acquisti e delle proprie abitudini in merito • fare la spesa in un negozio di alimentari ed esprimere i nostri desideri al riguardo • parlare di prodotti tipici • confrontare le abitudini alimentari • descrivere un negozio • farsi dare una ricetta	• le stagioni • le quantità • i partitivi (al singolare) • i pronomi diretti *lo, la, li, le* e *ne* • la costruzione impersonale (*si* + verbo)
lezione 9	**Vita quotidiana** p. 117 **Videocorso 9** L'agenda di Laura p. 126 **Caffè culturale 9** p. 128	• parlare degli orari lavorativi, di una giornata tipo e delle abitudini • parlare della frequenza • fare gli auguri • le festività in Italia	• i verbi riflessivi • alcune espressioni di tempo • gli avverbi di tempo e di frequenza • modi di dire con il verbo *fare*
lezione 10	**La famiglia** p. 129 **Videocorso 10** La famiglia della sposa p. 140 **Caffè culturale 10** p. 141	• parlare della famiglia • descrivere una fotografia • esprimere possesso • parlare dei regali di nozze	• gli aggettivi possessivi • l'uso dell'articolo con i possessivi • il superlativo relativo • il passato prossimo dei verbi riflessivi • *perché - siccome*

Facciamo il punto 4 - p. 142 - Gioco - Bilancio e progetto

Introduzione

Cos'è NUOVO Espresso?

NUOVO Espresso è un corso di lingua italiana per stranieri diviso in sei livelli (A1, A2, B1, B2, C1 e C2).

Com'è strutturato NUOVO Espresso 1?

NUOVO Espresso 1 è il primo volume del corso e si rivolge a studenti **principianti**.
Offre materiale didattico per circa 90 ore di corso (più le attività del videocorso e l'eserciziario per il lavoro a casa).
È disponibile in due versioni: libro e libro + ebook interattivo.

Il **libro** contiene:
- le lezioni con le attività per il lavoro in classe
- le attività del videocorso
- le sezioni del caffè culturale
- la grammatica riassuntiva
- gli esercizi per il lavoro a casa

E inoltre quattro sezioni con i bilanci, arricchiti da attività di progetto e test di ripasso a punti.

 il **videocorso**, accompagnato da un'utile videogrammatica, è una vera e propria serie a puntate (una per ogni lezione) integrata nel corso e inserita nell'ebook interattivo.

L'**ebook interattivo** permette di fruire di tutti i materiali del corso e contiene:
- il libro in versione digitale
- tutti gli audio delle lezioni e degli esercizi
- gli episodi del videocorso con e senza sottotitoli
- le lezioni della videogrammatica
- oltre 200 esercizi interattivi con autocorrezione

E inoltre l'insegnante può:
- creare e gestire una classe virtuale
- monitorare il lavoro e i progressi degli studenti
- assegnare compiti
- inviare messaggi
- accedere alla guida

nell'area risorse web di NUOVO Espresso 1
su www.almaedizioni.it
- scarica i file degli **audio** delle lezioni e degli esercizi
- integra la tua lezione con test, esercizi online, glossari, attività e giochi extra
- usa i materiali per la **Didattica A Distanza**
- scarica la **guida** per l'insegnante

Primi contatti

1

comunicazione

Come ti chiami?

Mi chiamo Carlo.

Di dove sei?

Sono italiano.

Qual è il tuo numero di telefono?

Qual è il tuo indirizzo?

grammatica

I pronomi soggetto: *io, tu, Lei*

Il presente di *essere, avere, chiamarsi* (al singolare)

L'alfabeto

Gli articoli determinativi *il* e *la*

Gli aggettivi di nazionalità (al singolare)

Gli interrogativi: *come, di dove, qual*

I numeri cardinali da 0 a 20

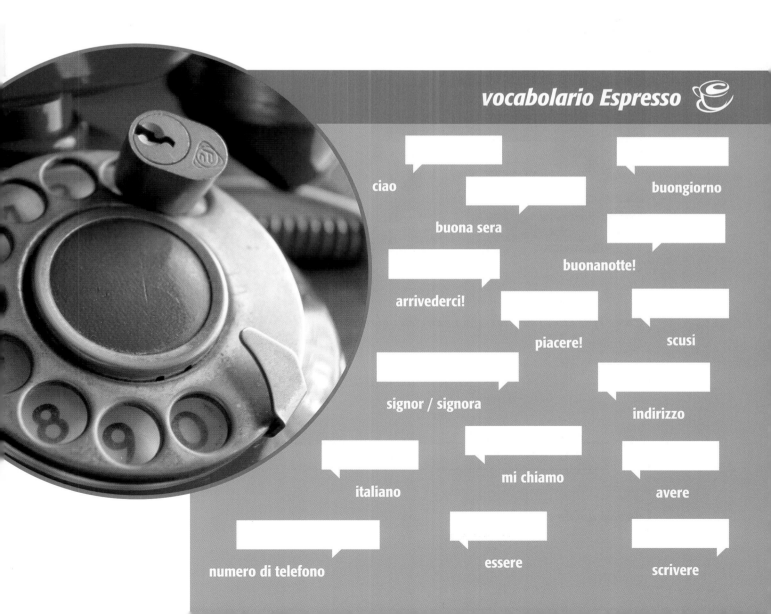

vocabolario Espresso

ciao

buongiorno

buona sera

buonanotte!

arrivederci!

piacere!

scusi

signor / signora

indirizzo

italiano

mi chiamo

avere

numero di telefono

essere

scrivere

primi contatti

1 Ciao o buongiorno?

2 ((▶

Ascolta e completa i dialoghi.

| Ciao, Giorgio! | Buongiorno! | Oh, ciao Francesca! | Buona sera, dottore! |

Buona sera, signora!

_____!

_____!

Ciao, Anna!

Ciao, Paola!

_____!

Buongiorno, professore!

_____!

Come ci si saluta nei vari momenti della giornata?
Completa lo schema.

Lei _____ _____

tu _____ _____

Ascolta un'altra volta e ripeti.

E 1

primi contatti

2 Scusi, Lei come si chiama?

Abbina i dialoghi ai disegni.

Leggi il dialogo e verifica.

1 ▼ Ciao, sono Valeria, e tu come ti chiami?
▽ Alberto. E tu?
● Io Cecilia.

2 ▼ Buongiorno, sono Giovanni Muti.
▽ Piacere, Carlo De Giuli.

3 ▼ Scusi, Lei come si chiama?
▽ Franca Gucci.
▼ E Lei?
● Anch'io mi chiamo Gucci, Paola Gucci.

4 ▼ La signora Genovesi?
▽ Sì, sono io, e Lei è il signor...?
▼ Ragazzi. Marcello Ragazzi.

Cosa dici quando...

ti presenti _____

chiedi il nome (con il Lei) _____

chiedi il nome (con il tu) _____

3 Piacere!

*In gruppi di due o tre persone preparate un dialogo
su uno dei disegni e presentatelo alla classe. Gli altri
cercheranno di indovinare di quale situazione si tratta.*

	essere	chiamarsi
(io)	sono	mi chiamo
(tu)	sei	ti chiami
(Lei)	è	si chiama

E 2

4 Fare conoscenza

Alzatevi e girate per la classe salutandovi e presentandovi.
Decidete se darvi del tu o del Lei.

5 L'alfabeto

4

Ascolta e ripeti.

A	E	I	O		U	lettere straniere
B bi	F effe	L elle	P pi		V vi/vu	J i lunga
C ci	G gi	M emme	Q cu		Z zeta	K kappa
D di	H acca	N enne	R erre			W doppia vu
			S esse			X ics
			T ti			Y ipsilon

6 «c» come ciao

5

Ascolta le seguenti parole e ripeti.

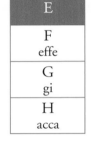
CAFFÈ

PIACERE

SPAGHETTI

GATTO

CIAO

CINEMA

CHITARRA

GELATO

GIORNALE

FORMAGGIO

CANE

ZUCCHERO

MEDICO

primi contatti

Ordina le parole secondo i seguenti suoni, poi completa la regola.

[tʃ] **c**iao _____

[k] **c**affè _____

[dʒ] **ge**lato _____

[g] **g**atto _____

La "c" si pronuncia [tʃ] davanti a _____ e [k] davanti a u-_____

La "g" si pronuncia [dʒ] davanti a _____ e [g] davanti a hi-o-u-_____

Ora prova a leggere le seguenti parole.

fungo - cuore - lago - alberghi - guardare

7 Come si scrive?

6

Ascolta il breve dialogo e lavora con un compagno. Lo studente A copre la parte relativa allo studente B e lo studente B quella dello studente A. Comincia lo studente B, che chiede il nome allo studente A sul modello del dialogo ascoltato. Poi si prosegue a turno.

■ Come ti chiami?
▼ Gino Argan.
■ Come si scrive?
▼ GI - I - ENNE - O - A - ERRE - GI - A - ENNE

A		B	
Nome	**Cognome**	**Nome**	**Cognome**
1 Alcide	De Gasperi	**1** _ _ _ _ _ _	_ _ _ _ _ _ _ _
2 _ _ _ _ _ _ _ _	_ _ _ _ _ _	**2** Euridice	Ciocca
3 Gherardo	Cicchitto	**3** _ _ _ _ _ _ _ _	_ _ _ _ _ _ _ _
4 _ _ _ _ _ _	_ _ _ _ _ _	**4** Sergio	Giangi
5 Marcello	Cenciarelli	**5** _ _ _ _ _ _ _	_ _ _ _ _ _ _ _ _ _
6 _ _ _ _ _ _	_ _ _ _ _	**6** Gianni	Ghisa

E 3·4

8 E Lei di dov'è?

Ascolta e completa i dialoghi.

7

di dove sei	di dov'è

- ...Lei è italiana?
- ▼ Sì. E Lei? È inglese?
- No, sono irlandese.
- ▼ Ah, irlandese!
- Sì, sono di Dublino. E Lei _____?
- ▼ Di Verona.

▼ Sei tedesco?
- No, sono austriaco. E tu, _____?
▼ Sono italiana, di Genova.

> Tu di dove sei?
>
> Lei di dov'è?   Sono italiano, di...

9 Ricostruisci i dialoghi

Completa i dialoghi con le frasi a, b, c.

- **a** Sì. E Lei è italiana?
- **b** Io sono italiana. E tu?
- **c** Sei svizzera?

Leggi. Alla fine puoi aggiungere il nome del tuo Paese e della tua nazionalità.

Italia	italiano	italiana
Germania	tedesco	tedesca
Austria	austriaco	austriaca
Svizzera	svizzero	svizzera
Spagna	spagnolo	spagnola
Inghilterra	inglese	inglese
Irlanda	irlandese	irlandese
Portogallo	portoghese	portoghese
Francia	francese	francese
_____	_____	_____

No, sono austriaca.

1

Lei è francese?

Io sono tedesco.

2

3

E 5·6

10 Tu o Lei?

8 ((▶

Ascolta i 6 dialoghi e segna con una X se le persone si danno del tu o del Lei.

	1	**2**	**3**	**4**	**5**	**6**
tu	☐	☐	☐	☐	☐	☐
Lei	☐	☐	☐	☐	☐	☐

11 Lei è francese?

A *sceglie una città dal primo gruppo,* **B** *dal secondo. Preparate un dialogo secondo il modello.*
Prima di cominciare potete scrivere i nomi di altre città.

A Parigi, Roma, Londra, Berlino (.....................................)
B Madrid, Vienna, Berna, Lisbona (.....................................)

E 7·8·9

LEI	**TU**
■ Lei è...?	■ Sei...?
▼ Sì, di.../No, sono..., di...	▼ Sì, di.../No, sono..., di...
E Lei, di dov'è?	E tu, di dove sei?
■ Sono..., di...	■ Sono..., di...

1 Numeri

9 ((▶

Ascolta e ripeti.

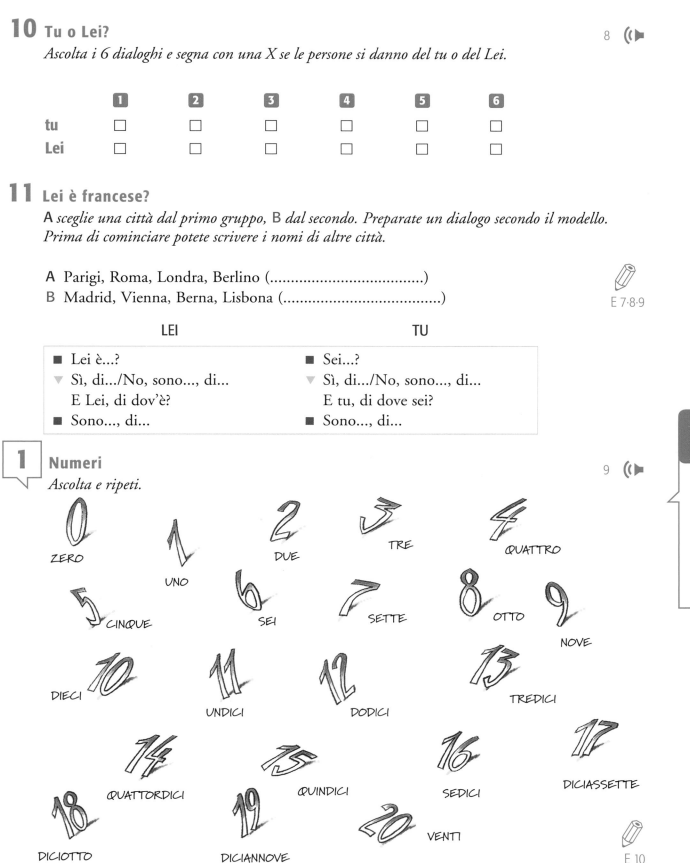

ZERO — UNO — DUE — TRE — QUATTRO — CINQUE — SEI — SETTE — OTTO — NOVE — DIECI — UNDICI — DODICI — TREDICI — QUATTORDICI — QUINDICI — SEDICI — DICIASSETTE — DICIOTTO — DICIANNOVE — VENTI

E 10

E inoltre... 1

2 **Qual è il Suo numero di telefono?**

Ascolta e completa il dialogo con i numeri.

10

- ■ Qual è il Suo indirizzo?
- ▼ Via Garibaldi, _____.
- ■ E il Suo numero di telefono?
- ▼ _____. Però ho anche il cellulare: _____.
- ■ Come, scusi?
- ▼ _____.

Con il "Lei":	Qual è il Suo numero ...?
	Come, scusi?
Con il "tu":	Qual è il tuo numero ...?
	Come, scusa?

	avere
(io)	ho
(tu)	hai
(Lei)	ha

E 11

3 **Che numero è?**

Scrivi nel riquadro a sinistra sette numeri a piacere da 0 a 20.
Dettali poi al tuo compagno, che li scriverà nel riquadro vuoto a destra.
Alla fine confrontate i risultati.

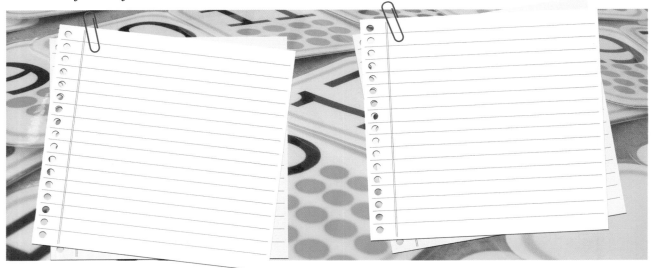

4 **Primo incontro**

Gli studenti lavorano a gruppi. Ogni studente scrive su un foglio dei dati immaginari (nome,
cognome, Paese di provenienza, numero di telefono) e poi a turno ognuno fa domande
per conoscere i dati del compagno.

E 12·13
14

E inoltre...

1

comunicazione e grammatica

Buongiorno, signora Gucci!
Buona sera, signor Muti!
Ciao, Paolo!

- Come ti chiami? - Come si chiama?
▽ Mi chiamo…
- Piacere.

- La signora Cavani?
▽ Sì, sono io.

- Di dove sei? - Di dov'è ?
▽ (Sono) di Genova./Sono italiano/-a.

- Sei/è spagnolo/-a?
▽ Sì./No, sono portoghese.

- Qual è il tuo/il Suo numero di telefono?
▽ Come scusa? - Come scusi?

- Qual è il tuo/il Suo indirizzo?
▽ Via/Piazza…, 22.

Mettiti alla prova. Vai su *www.alma.tv* nella rubrica Linguaquiz e fai il videoquiz "Presentarsi".

Grammatica

Il presente (singolare)

- Di dove **sei**?
▽ (Sono) Di Genova.

Io mi chiamo Dario. E **tu** (come ti chiami)?

Scusi, **Lei** è italiano?

In italiano i pronomi personali si usano solo quando si vuole mettere in evidenza il soggetto e quando manca il verbo. In genere non sono necessari.

*La forma di cortesia è **Lei**, al maschile e al femminile.*

	essere	avere	chiamarsi
(io)	sono	ho	mi chiamo
(tu)	sei	hai	ti chiami
(Lei)	è	ha	si chiama

Gli aggettivi di nazionalità (singolare)

maschile	femminile
italiano	italiana
irlandese	irlandese

*Gli aggettivi in **-o** al maschile singolare, prendono la desinenza in **-a** al femminile singolare. Gli aggettivi in **-e** hanno la stessa desinenza sia al maschile che al femminile singolare.*

dottore, professore, signore

Buongiorno, dottore.
Buongiorno, **dottor** Visconti.

*Con i nomi propri si dice **dottor** invece di **dottore**; **professor** invece di **professore** e **signor** invece di **signore**.*

La preposizione *di*

Sono di Genova.

*Con i nomi di città, si usa **di** per indicare l'appartenenza.*

Gli interrogativi

Come ti chiami?
Di dove sei?
Qual è il tuo numero di telefono?

Gli interrogativi introducono una domanda e sono sempre prima di un verbo o dopo una preposizione.

Gli articoli determinativi *il* e *la*

maschile	femminile
il signore	la signora

*Uno degli articoli determinativi per il maschile singolare è **il**, per il femminile singolare è **la**.*

VIDEO

1 Prima di guardare il video, osserva i fotogrammi e scegli le frasi da abbinare. Guarda il video per la verifica.

amici

1

a Ciao Laura!
b Buongiorno, signora!

a Lui è Chris, americano.
b Lei si chiama Ann: è inglese, di Manchester.

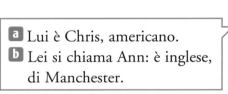

a Laura, piacere…
b Lei è italiano?

RICORDA
I giovani in Italia si danno del tu, non del Lei. Il Lei si usa tra persone adulte o tra un adulto e un giovane.

2 Guarda il video e rispondi alle domande.

1 Come si chiama lui?

2 Di dov'è Andrew?

VIDEO

3 Rimetti in ordine le frasi di Laura. Se necessario, guarda ancora il video.

Laura

a No, lei è Olga.

b No, lui si chiama Chris…

c Lui è argentino. Si chiama Rodrigo.

d Ma no, Chris è americano, di Boston!

e No, è ucraina!

Federico	E lui, di dov'è?
Laura	_____
Federico	Ann!
Laura	_____
Federico	Francese.
Laura	_____
Federico	Ah, Andrew!
Laura	_____
Federico	Ah già, l'australiano.
Laura	_____

4 Nel video ci sono tre persone e tre modi di salutarsi. Abbina i saluti.

Io sono Andrea. E tu come ti chiami?   Ehi, Federico! Ciao!   Andrea! Ciao!

a
– Ciao Laura!
_____

b
– Ehi Federico! Come stai?
_____

c
_____
– Laura. Piacere.

1

5 Qual è il numero di telefono di Laura? Guarda la sequenza finale del video e scegli il numero corretto.

a 3492547577
b 3901566597
c 3401546547

 Guarda la videogrammatica dell'episodio

caffè culturale

Buongiorno, buona sera o buonanotte?

5-13	13-19	19-23	23-5
mattina	pomeriggio	sera	notte

come saluto quando arrivo

Buongiorno!	Buona sera!

Ciao! / Salve!

come saluto quando vado via

Ci vediamo! / Buona giornata! / Arrivederci! / A presto!

Ciao!

Buona sera!

Buonanotte!

> **Ciao Valerio, ci vediamo! /**
> **Arrivederci! / Buona giornata! /**
> **Buona notte! / A presto! /**
> **A domani!**

> **Ciao,**
> **Giacomo!**

> Con il tu: arrivederci!
> Con il Lei: arrivederLa!

Gli italiani salutano in modo molto affettuoso, soprattutto amici e parenti, con baci e abbracci.

Nel tuo Paese è normale abbracciare una persona per salutarla?
È una cosa comune tra persone dello stesso sesso come tra persone di sesso diverso?

E ora, alla fine della lezione, saluta i tuoi compagni.

Ciao!	Arrivederci!	Alla prossima volta!

A presto!	A domani!	ArrivederLa!

Io e gli altri

comunicazione

Come va?

Ti presento Katia.

Che lavoro fai?

Dove lavori?

Dove abiti?

Sei di qui?

Quanti anni hai?

grammatica

I verbi regolari in *-are*

I verbi *essere, avere, fare* e *stare*

I sostantivi (al singolare)

La negazione

Gli articoli determinativi (al singolare)

Gli articoli indeterminativi

questo / questa

Le preposizioni: *a* e *in*

Gli interrogativi *che, chi, dove, quanti*

I numeri cardinali fino a 100

vocabolario Espresso

bene

male

grazie

molto lieto

amico

studente

insegnante

parlare

fare

stare

lavorare

abitare

1 Come va?

14

Come stanno queste persone? Ascolta e completa i dialoghi.

| Ah, oggi sto proprio male | Bene, grazie | Buonasera signor Meli | Ciao |

Buongiorno signora, come sta?

_____,
e Lei?

_____.

Ehi, ciao Guido. Come stai?

Oh, mi dispiace.

_____,
come va?

Benissimo, grazie.

_____,
come va?

Eh, non c'è male.

Cosa dici quando chiedi a qualcuno come sta?
Con il "Lei" _____   _____
Con il "tu" _____   _____

Scrivi le risposte nell'ordine giusto, dalla più positiva alla più negativa.

+++ _____   + _____

++ _____   - _____

io e gli altri

Chiedetevi a vicenda come state.

> ■ Ciao, come va/come stai? ▼ Buongiorno, come va/come sta?
> ▼ (Oggi)... ■ (Oggi)...

2 Piacere

15 ((▶

Trasforma il dialogo da informale a formale.

■ **Ciao Giuliana.** Come *stai*?
▼ Bene, grazie. E *tu*?
■ Non c'è male, grazie. Ah, **ti presento** il signor Lucchetti. Signor Lucchetti, la signora Vinci.
▼ Piacere.
■ Molto lieto.

■ **Buonasera signora Vinci.** Come _____?
▼ Bene, grazie. E _____?
■ Non c'è male, grazie. Ah, **Le presento** il signor Lucchetti. Signor Lucchetti, la signora Vinci.
▼ Piacere.
■ Molto lieto.

Ascolta e verifica.

> **la** signora Vinci / **il** signor Lucchetti

3 Una mia amica

16 ((▶

Ascolta il dialogo e scrivi i nomi dei personaggi nel disegno.

io e gli altri

Leggi il dialogo e verifica.

▼ Ehi, Massimo, ciao! Come stai?

■ Ah, Roberto, ciao! Io sto benissimo. E tu?

▼ Anch'io, grazie. Questa è Susana, una mia amica portoghese, di Lisbona.
E questo è Massimo, un mio amico.

■ Ciao!

● Piacere!

▼ Sai, Susana parla molto bene l'italiano.

■ Ah, sì? Io invece purtroppo non parlo il portoghese!

> Questo è un mio amico.
> Questa è una mia amica.

E 1·2

Cerca nel dialogo i verbi mancanti e completa la tabella.

	stare	parlare
(io)	sto	_____
(tu)	_____	parli
(lui, lei, Lei)	sta	_____

Tu **parli** il portoghese.
Tu **non parli** il portoghese.

4 Chi è?

A turno presentate le persone ritratte nelle foto.

> Questa è María, una mia amica spagnola di Siviglia.

María - Siviglia

Peter - Colonia

Carlos - Buenos Aires

Irina - Mosca

Annie - Nizza

2

5 Che lingue parla?

Completate insieme la lista con le lingue che conoscete. Poi lavorate in coppia. Ogni studente sceglie tre lingue dalla lista. Il partner dovrà indovinare quali lingue parla l'altro solo con quattro domande.

- ■ Parli/parla il greco?
- ▼ Sì/No.
- ■ Parli/parla ...?

l'italiano	lo spagnolo
l'olandese	lo svedese
l'inglese	il portoghese
il russo	il tedesco
il francese	_____
il greco	_____

E 3

6 Presentazioni

In gruppi di tre scegliete una delle seguenti situazioni e preparate un dialogo; poi presentatelo alla classe.

Festa

Ad una festa presentate un/una amico/a straniero/a ad un/una italiano/a.

Libreria

Siete in una libreria in compagnia di un amico e incontrate un/una conoscente; presentate le due persone.

2

7 Che lavoro fa?

Abbina le foto ai profili di LinkedIn.

Silvia Mannucci
Avvocato esterno presso ACI - Automobile Club d'Italia
Roma, Italia I Servizi legali

Attuale   Studio Legale, ACI - Automobile Club d'Italia, LeggiOggi-Quotidiano di informazione giuridica Maggioli Editore
Precedente   Studio Legale Associato Esposito - Ferretti - Guercio & Partners, Studio Legale Giribaldi Rossi-Silvestrucci
Formazione   CEIDA Scuola Superiore di Studi Giuridici

Collegati   Invia messaggio InMail ▾   **500+** collegamenti

a

Annalisa Razzauti
Architetto collaboratore presso Studio Gattico
Milano, Italia I Architettura e progettazione

Attuale   Studio Gattico, Libera Professione
Precedente   Studio ArchSIDE, 2m consulenze e investimenti
Formazione   Università degli Studi di Roma "La Sapienza"

Collegati   Invia messaggio InMail ▾   **73** collegamenti

d

Porzia Cattaneo
estetista specializzata presso Borgo egnazia, San Domenico Hotel Collection
Bari, Italia I Salute, benessere e fitness

Precedente   Hotel Ausonia&Hungaria, Hotel Ladinia, Gran Hotel Quisisana Capri
Formazione   Istituto di Medicina Naturale Lumen (PC)

Invia messaggio InMail ▾   **41** collegamenti

b

Federico Mazzola
Dirigente Medico Chirurgo Direttore Chirurgia Toracica presso Università di Perugia
Perugia, Italia I Medicina

Attuale   Università di Perugia
Precedente   Università degli Studi di Perugia facoltà di medicina e chirurgia
Formazione   Università degli Studi di Perugia

Collegati   Invia messaggio InMail ▾   **59** collegamenti

c

8 Faccio la segretaria

17 ((▶

Ascolta il dialogo e segna le città che vengono nominate.

☐ Palermo ☐ Napoli ☐ Roma ☐ Firenze ☐ Bologna ☐ Milano

*Cerca nel dialogo le forme del verbo **essere** mancanti e completa la tabella.*

■ Siete di qui?

▼ No, siamo di Napoli, ma abitiamo qui a Bologna.

■ Ah, di Napoli! E che cosa fate di bello? Studiate?

▲ No, io lavoro in una scuola di lingue.

■ Sei insegnante?

▲ No, faccio la segretaria.

■ E tu che lavoro fai?

▼ Io sono impiegata in un'agenzia pubblicitaria. E tu dove lavori?

■ In uno studio fotografico.

essere	
(io)	_____
(tu)	_____
(lui, lei, Lei)	è
(noi)	_____
(voi)	_____
(loro)	sono

lavoro in

un ufficio **un'**agenzia

uno studio **una** scuola

9 Posti di lavoro

Completa le frasi con i nomi dei lavori della prossima pagina.

Francesco lavora in una fabbrica,

fa _____.

Carla lavora in una farmacia,

fa _____.

Patrizia lavora in una scuola,

fa _____.

	fare	lavorare
(io)	faccio	lavor**o**
(tu)	fai	lavor**i**
(lui, lei, Lei)	fa	lavor**a**
(noi)	facciamo	lavor**iamo**
(voi)	fate	lavor**ate**
(loro)	fanno	lavor**ano**

Luisa lavora in un supermercato,

fa _____.

Pino lavora in un ristorante,

fa _____.

io e gli altri

l'avvocato   l'avvocatessa

il giornalista   la giornalista

il farmacista   la farmacista

il commesso   la commessa

l'infermiere   l'infermiera

l'operaio   l'operaia

il cuoco   la cuoca

l'insegnante   l'insegnante

E 4·5·6

2

10 Che lavoro fa?

*Lavorate in coppia. Scegli un personaggio del punto **9** e descrivilo senza dire il suo lavoro, come nell'esempio. Quando il tuo compagno indovina, tocca a lui. Continuate fino allo STOP dell'insegnante.*

> ■ Si chiama Luigi, lavora in un ristorante.
> ▼ Fa il cuoco?
> ■ Sì.

E 7·8

11 Per conoscerci meglio

Vuoi conoscere meglio i tuoi compagni? Fai a quattro di loro le seguenti domande:

| Come ti chiami? | Di dove sei? | Che lavoro fai? | Dove abiti? | Dove lavori? |

Ora presenta agli altri una o due delle persone intervistate.

> Lui si chiama Pablo Hernandez, è di Siviglia, ma abita a Madrid.
> Pablo è medico e lavora in un ospedale.

12 Cerco...

Leggi i post del gruppo Facebook "La bacheca delle lingue".
Qual è la persona che offre un lavoro?

Werner Innerhofer
Ciao, mi chiamo Werner, sono uno studente di italiano a Firenze. Parlo il tedesco, l'inglese e il russo. Cerco una camera in una famiglia italiana in cambio di conversazione in queste lingue. È un po' strano forse, ma non ho molti soldi!

👍 Mi piace - Commenta - Segui post - Condividi - 12 minuti fa

Claudia Giammaria
Ciao Werner, io abito vicino Firenze con la mia famiglia e abbiamo una piccola stanza libera. Mia figlia studia il tedesco e ha bisogno di fare molta conversazione. Ti invio una mail con il mio numero di telefono, ok?

👍 Mi piace 1

Rita Carassini
Sono un'insegnante con un figlio di 3 anni. Cerco una Baby Sitter a Roma, zona Monteverde Nuovo.

👍 Mi piace - Commenta - Segui post - Condividi - 46 minuti fa

Silvia Soares
Sono brasiliana, abito a Firenze e parlo il portoghese, il francese, lo spagnolo e l'italiano. Cerco lavoro come traduttrice.

👍 Mi piace - Commenta - Segui post - Condividi - 2 ore fa

Elizabeth Bradley
Mi chiamo Elizabeth, sono di Boston e studio architettura a Roma. Parlo bene l'inglese, il greco e il turco. Cerco un piccolo lavoro.

👍 Mi piace - Commenta - Segui post - Condividi - 7 ore fa

Cerchi o offri qualcosa? Scrivi un post nel gruppo.

👍 Mi piace - Commenta - Segui post - Condividi

	avere
(io)	ho
(tu)	hai
(lui, lei, Lei)	ha
(noi)	abbiamo
(voi)	avete
(loro)	hanno

E 9·10

io e gli altri

13 Piacere, molto lieto

18 ((▶

Ascolta la conversazione tra Aldo, Rita e Carlos, poi rispondi alla domanda.

Che lingue parlano Aldo, Rita e Carlos?

Aldo
Rita
Carlos

l'italiano
l'inglese
lo spagnolo
il tedesco

> piacere, molto lieto (maschile)
> piacere, molto lieta (femminile)

Ascolta ancora il dialogo e indica se le affermazioni sono vere o false.

	vero	falso
Aldo è un amico di Rita	☐	☐
Carlos è spagnolo	☐	☐
Rita ha uno zio in Argentina	☐	☐
Carlos è a Genova per studiare l'italiano	☐	☐
Carlos è un cantante lirico	☐	☐
Rita è una segretaria	☐	☐
Rita conosce molto bene lo spagnolo	☐	☐

1 I numeri da venti a cento
Completa.

20 venti	**29** _____	**60** sessanta
21 ventuno	**30** trenta	**68** _____
22 _____	**31** trentuno	**70** settanta
23 ventitré	**32** trentadue	**74** _____
24 _____	**35** _____	**80** ottanta
25 venticinque	**40** quaranta	**81** _____
26 _____	**46** _____	**90** novanta
27 _____	**50** cinquanta	**93** _____
28 ventotto	**57** _____	**100** cento

E 11·12

Ora ascolta e confronta.

19 ((▶

2 Che numero è?

Segna i numeri che ascolti.

23		67	
	33	77	91
81	50		24
15		42	5

E inoltre...

2

'ALMA.tv ▶

Per imparare l'italiano con successo puoi leggere una storia a fumetti! Vai su www.alma.tv nella rubrica *L'italiano con i fumetti* e guarda un episodio di "Roma 2050 d.C". Alle fine puoi fare anche gli esercizi online per verificare la comprensione.

3 Quanti anni ha?

Leggi e poi rispondi.

> ■ Quanti anni ha il figlio di Rita?
> ▼ Due.

E13

E tu, quanti anni hai?

4 Indovina

Pensa ad un numero tra 1 e 100. Questa è la tua età. Un tuo compagno cercherà di indovinare quanti anni hai. Se il numero nominato è minore di' "di più", se è maggiore di' "di meno".

> ■ Quanti anni hai/ha?
> ▼ Indovina.
> ■ 30?
> ▼ No, di più/di meno.

E14·15
16·17

comunicazione e grammatica

Per comunicare

- ■ Come stai - Come sta? - Come va?
- ▼ Benissimo. - Bene. - Non c'è male. - Male.

- ■ Oggi sto male.
- ▼ Oh, mi dispiace.

- ■ Ti/Le presento... - Questo/a è...
- ▼ Piacere. - Molto lieto/a.

- ■ Che lavoro fai/fa? - Che cosa fai/fa?
- ▼ Sono... - Faccio il/la...

- ■ Dove lavori/lavora?
- ▼ In una scuola. - In un ospedale...

- ■ Dove abiti/abita?
- ▼ (Abito) in... (nazione), a... (città)

- ■ (Tu) sei di qui? - (Lei) è di qui?
- ▼ Sì. / No, sono di...

- ■ Quanti anni hai/ha?
- ▼ Venti - Sessantadue - Quarantotto...

Mettiti alla prova. Vai su *www.alma.tv* nella rubrica Linguaquiz e fai il videoquiz "Le professioni".

Grammatica

Gli articoli determinativi e indeterminativi

Luisa fa **la** commessa, Alberto fa **l'**operario.
Ho **un'a**genzia e lavoro in **un u**fficio.

La forma dell'articolo cambia a seconda del genere (maschile o femminile) e della lettera iniziale del nome che segue.

Articoli determinativi (singolare)

	maschile	femminile
(davanti a **consonante**)	il signore	la signora
(davanti a **vocale**)	l'amico	l'amica
(davanti a **s + consonante**)	lo straniero	la straniera

Articoli indeterminativi

	maschile	femminile
(davanti a **consonante**)	un commesso	una commessa
(davanti a **vocale**)	un impiegato	un'impiegata
(davanti a **s + consonante**)	uno straniero	una straniera

I sostantivi (singolare)

maschile	**femminile**
negoz**io**	farmac**ia**
ristorant**e**	conversazion**e**

*In italiano ci sono solo due generi: il maschile e il femminile. Di solito i nomi in **-o** sono maschili, i nomi in **-a** sono femminili. Ci sono però delle eccezioni: es. il collega, il farmacista (maschili). I nomi in **-e** possono essere maschili o femminili.*

questo - questa

Quest**o** è Carlo.
Quest**a** è Carla.

Questo* e *questa *concordano con il genere della persona o della cosa cui si riferiscono.*

La negazione

- ■ Sei inglese?
- ▼ **No**, sono americano. **Non** parlo il russo.

*Per rispondere negativamente si usa **no**.*
***Non** è sempre in combinazione con un verbo.*

Le preposizioni *a* e *in*

Abito **a** Bologna (città).
Abito **in** Italia (nazione).
Lavoro **in** banca/
in ospedale.

*Per indicare il luogo si usa **a** prima di una città e **in** prima di una nazione. Negli altri casi di solito uso **in**.*

Gli interrogativi

Chi è Pedro?
Che lingue parli? /
Che lavoro fai?
Dove lavori?
Quanti anni hai?

Si usano per fare una domanda.

VIDEO

1 Prima di guardare il video, osserva i fotogrammi e fai un'ipotesi sulla storia inserendo nella sequenza i fotogrammi mancanti. Guarda il video per la verifica.

l'annuncio

2

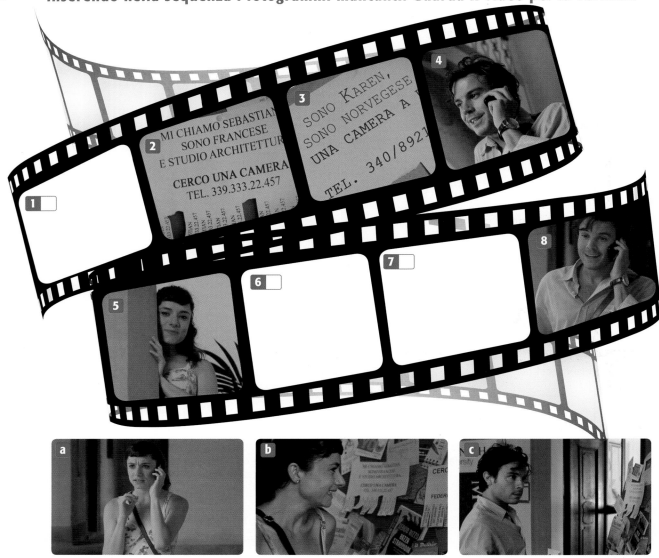

2 Guarda l'episodio. La tua storia è molto differente?

3 Indica se le affermazioni sono vere o false. Se necessario, guarda ancora l'episodio.

		vero	falso
1	Federico è un ragazzo italiano.	☐	☐
2	Federico telefona a Sebastian.	☐	☐
3	Federico parla l'inglese molto bene.	☐	☐
4	Laura è un'amica di Federico.	☐	☐
5	Laura cerca una camera.	☐	☐

VIDEO

4 **Guarda il video dal minuto 1'52" e immagina cosa dice al telefono Karen, la ragazza norvegese.**

Federico	Pronto? Sì, ciao, mi chiamo Federico. Telefono per l'annuncio...
Karen	_____
Federico	Sì, abito in centro, sì.
Karen	_____
Federico	Sì, io sono italiano.
Karen	_____
Federico	Ho 28 anni.
Karen	_____
Federico	Studio e lavoro, sì. Sono...
Karen	_____
Federico	Come? Beh sì, parlo inglese. Un po'...

5 **Riguarda il video dal minuto 1'52" e prova a recitare la parte di Karen che hai scritto al punto 4.**

> Guarda la videogrammatica dell'episodio

caffè culturale

2

Notizie sull'Italia

a. *Che cosa sai dell'Italia? Prova a fare delle ipotesi e scegli i dati che ritieni corretti.*

Abitanti: (circa)
☐ 49 milioni ☐ 59 milioni ☐ 32 milioni

Regioni:
☐ 15   ☐ 20   ☐ 27

Indica con un numero da 1 a 4 le quattro città italiane più grandi:

☐ Milano   ☐ Bologna   ☐ Napoli
☐ Palermo   ☐ Roma   ☐ Torino
☐ Firenze   ☐ Venezia   ☐ Genova

b. *Scrivi nella mappa al posto giusto i nomi delle 9 città del punto **a**. Come aiuto, puoi guardare la mappa d'Italia che trovi alla fine del libro.*

Gioco

Si gioca in gruppi di 3 – 5 persone con 1 dado e pedine. A turno i giocatori lanciano il dado e avanzano con la loro pedina di tante caselle quanti sono i punti indicati sul dado. Arrivati sulla casella svolgono i compiti segnati. Se si arriva a una casella con la scaletta si sale o si scende, avanzando o retrocedendo.

Se si arriva a una casella con il simbolo del sorriso si va avanti di tre caselle. Se il compito non è svolto correttamente si retrocede di una casella. In quest'ultimo caso però, se si arriva in una casella con le scalette, non si avanza né si retrocede. Vince chi arriva prima al traguardo.

Bilancio

Dopo queste lezioni, che cosa so fare?

Parlare di me
(nome, età, provenienza, professione, studi) ☐ ☐ ☐

Salutare e chiedere a qualcuno come sta ☐ ☐ ☐

Presentare qualcuno ☐ ☐ ☐

Fare una breve conversazione ☐ ☐ ☐

Parlare delle mie conoscenze linguistiche ☐ ☐ ☐

Ringraziare ☐ ☐ ☐

Usare un registro formale ☐ ☐ ☐

Cose nuove che ho imparato

10 parole o espressioni che mi sembrano importanti:

Una cosa particolarmente difficile:

Una curiosità sull'Italia e gli italiani:

---

progetto

La mia classe su facebook

1. Apri, insieme ai tuoi compagni di classe, un profilo Facebook su www.facebook.com, poi create un gruppo. Se non vuoi usare il tuo nome reale puoi utilizzare un nome di fantasia.

2. Scrivi una piccola presentazione di te.

3. Insieme al resto della classe scattate alcune foto e caricatele nel gruppo aggiungendo una breve descrizione.

4. Cercate e invitate sul gruppo altri studenti di italiano, per fare scambio di conversazione.

...fai il test a pag. 156

Buon appetito

comunicazione

Cosa desidera?

Vorrei solo un primo.

Che cosa avete oggi?

Prende un caffè?

Scusi, mi porta ancora un po' di pane?

Il conto, per cortesia.

È possibile prenotare un tavolo?

grammatica

I verbi regolari in *-ere*

I verbi *volere* e *preferire*

Il plurale dei sostantivi

Gli articoli determinativi

bene / buono

Gli interrogativi *che cosa, quali, quante*

vocabolario Espresso

bar

caffè

ristorante

panino

cornetto

pesce

pasta

carne

antipasto

acqua minerale

cameriere

contorno

conto

prendere

volere

prenotare

preferire

1 Che bevande sono?

Come si chiamano queste bevande in italiano? Scrivi i nomi vicino ai disegni.

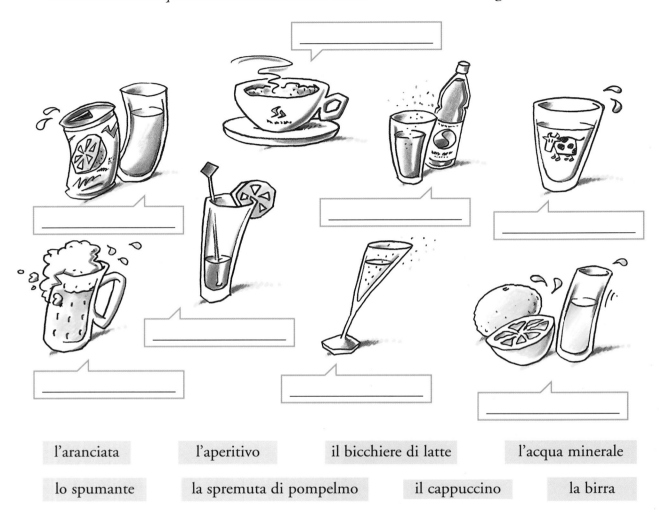

l'aranciata   l'aperitivo   il bicchiere di latte   l'acqua minerale

lo spumante   la spremuta di pompelmo   il cappuccino   la birra

2 Conosci il nome di altre bevande?

Conosci il nome italiano di altre bevande?
Scrivi qui sotto tutte le bevande che conosci. Poi confrontati con un compagno.

E 1

buon appetito!

3 Con la crema o con la marmellata?

Ascolta il dialogo e scegli la risposta giusta.

24

dove	quando
☐ Al bar	☐ La mattina
☐ Al ristorante	☐ Il pomeriggio
☐ Al supermercato	☐ La sera

Leggi e rispondi alle domande.

E 2·3

■ I signori desiderano?

▼ Io prendo un cornetto e un caffè macchiato.

■ E Lei, signora?

◆ Anch'io vorrei un cornetto e poi... un tè al limone.

■ I cornetti con la crema o con la marmellata?

◆ Mmm... con la crema.

▼ Per me invece con la marmellata.

■ E Lei che cosa prende?

▲ Mmm, solo un tè al latte.

■ Bene, allora due cornetti, due tè e un macchiato.

un cornetto	due cornetti
un aperitivo	due aperitivi
un caffè	due caffè
un toast	due toast
una spremuta	due spremute
un'aranciata	due aranciate

Che cosa prendono da mangiare? _____

E da bere? _____

Completa la coniugazione di prendere *con i verbi del dialogo.*

	prend**ere**
(io)	prend__
(tu)	prend**i**
(lui, lei, Lei)	prend__
(noi)	prend**iamo**
(voi)	prend**ete**
(loro)	prend**ono**

Vorrei... un cornetto / un tè al limone / un caffè macchiato

4 Ordinare

Come si può fare un'ordinazione?
Scrivi le espressioni usate nel dialogo.

a. _____

b. _____

c. _____

d. _____

E 2·3·4

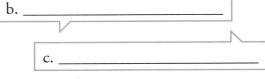

5 I signori desiderano?

Adesso tocca a voi. In tre rappresentate questa situazione.

- ■ I signori desiderano?
- ▼ Io prendo...
- ◆ Ah, anch'io...
- ■ Bene, allora due...

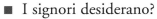

panino

toast

paste

tramezzino
gelato

pizza

6 Quali piatti conosci?

Guarda il menù e scrivi il nome del piatto sotto ogni disegno.

Ristorante

Antichi sapori

Antipasti

Prosciutto e formaggio
Pomodori ripieni
Bruschette
Insalata di mare

Primi piatti

Tortellini in brodo
Tagliatelle ai porcini
Lasagne al forno
Risotto ai funghi
Minestrone
Spaghetti ai frutti
di mare
Spaghetti al pomodoro

Secondi piatti

Carne

Cotoletta alla milanese
Braciola di maiale ai
ferri
Pollo allo spiedo
Arrosto di vitello

Pesce

Trota al forno
Sogliola

Contorni

Insalata mista
Patatine fritte
Purè di patate
Spinaci al burro
Peperoni alla griglia

Dessert

Frutta fresca
Macedonia
Fragole
Gelato
Panna cotta
Tiramisù

Menù
a prezzo
fisso
€ 25

buon appetito!

7 In trattoria

Ecco l'ordinazione che ha preso il cameriere.
Cosa è giusto e cosa è sbagliato? Ascolta il dialogo e decidi.

	sì	no
2 spaghetti	☐	☐
1 cotoletta + pat.	☐	☐
1 litro rosso	☐	☐
¹/₂ miner. gasata	☐	☐
1 coca	☐	☐

Leggi il dialogo e verifica

- ■ Buongiorno signora, vuole il menù?
- ▼ No, grazie, vorrei solo un primo. Che cosa avete oggi?
- ■ Spaghetti ai frutti di mare, tagliatelle ai porcini, tortellini in brodo, minestra di fagioli...
- ▼ Ah, va bene così, per me gli spaghetti.
- ■ E per il ragazzo?
- ▼ Vuoi anche tu la pasta o preferisci qualcos'altro?
- ◆ Mmm, una cotoletta con le patatine fritte.
- ■ E da bere?
- ▼ Un quarto di vino rosso e mezza minerale, per piacere.
- ■ Gasata o naturale?
- ▼ Naturale. E tu... che cosa vuoi?
- ◆ Mmm... una coca... senza ghiaccio.

Completa le coniugazioni di volere *e* preferire *con i verbi del dialogo.*

	volere	preferire
(io)	voglio	preferisco
(tu)	_____	_____
(lui, lei, Lei)	_____	preferisce
(noi)	vogliamo	preferiamo
(voi)	volete	preferite
(loro)	vogliono	preferiscono

E 5·6

Completa i verbi con le desinenze giuste.

La signora e il ragazzo non vogl_____ l'antipasto. Lei pref_____ solo
un primo e pren_____ gli spaghetti ai frutti di mare. Lui invece vuo_____
una cotoletta con le patatine fritte. Da bere prend_____ una coca, un quarto
di vino rosso e mezza minerale.

8 Carne o pesce?

*Gioca con un compagno. Prima di iniziare scegli un cibo in ogni coppia. Poi indovina
cosa piace al tuo compagno. Segui l'esempio. Per ogni cibo indovinato prendi un punto.*

■ Vuoi la carne?

▼ Sì, grazie. / No, preferisco il pesce.

tortellini / lasagne   arrosto / cotoletta   panna cotta / fragole

spinaci / patatine   carne / pesce   vino bianco / vino rosso

caffè / tè   gelato / macedonia   pasta / riso   frutta / strudel

spaghetti / tagliatelle   insalata / peperoni

il gelato	**i** gelati
lo spumante	**gli** spumanti
l'antipasto	**gli** antipasti
la pizza	**le** pizze
l'insalata	**le** insalate

E 7·8

9 Al ristorante

Lavorate in 3 e scrivete su un foglio un'ordinazione per 2 persone. Usate il menu di pag. 36.

Scambiatevi il foglio con gli altri gruppi.

*Fate un dialogo al ristorante (2 clienti e un cameriere, che non deve guardare il foglio). I clienti
ordinano i piatti e le bevande scritte sul foglio, il cameriere scrive le ordinazioni su un altro foglio.
Alla fine si confrontano i due fogli.*

E 9

buon appetito!

10 Che cosa manca sul tavolo?

*Formate due gruppi. Coprite prima il tavolo di destra e guardate quello di sinistra per 30 secondi.
Poi coprite il tavolo di sinistra e guardate che cosa manca su quello di destra. Vince il gruppo che
trova più oggetti mancanti tra quelli raffigurati nella lista.*

Sul tavolo n. 2 mancano...

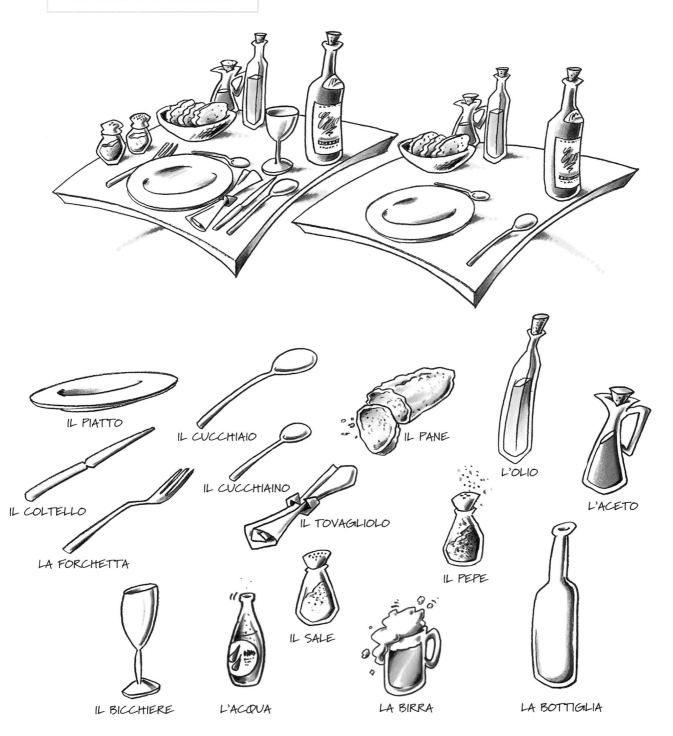

IL PIATTO

IL CUCCHIAIO

IL PANE

L'OLIO

IL COLTELLO

IL CUCCHIAINO

IL TOVAGLIOLO

L'ACETO

LA FORCHETTA

IL PEPE

IL BICCHIERE

L'ACQUA

IL SALE

LA BIRRA

LA BOTTIGLIA

11 Il conto, per favore!

26 ((▶

Ascolta il dialogo e completalo con le seguenti parole.

| per favore | Scusi! | per cortesia | grazie | Sì, dica! | grazie |

■ _____

▼ _____

■ Mi porta ancora mezza minerale,

_____?

▼ Certo, signora. Desidera ancora qualcos'altro?
Come dessert abbiamo gelato, macedonia,
frutta fresca o il tiramisù, molto buono.

■ No, _____, va bene così. Ah, un

momento, magari un caffè!

▼ Corretto?

■ Sì, _____. E poi il conto, _____.

▼ D'accordo.

E 10·11

*In coppia, leggete il dialogo prima con le parole da voi inserite e poi senza. Che funzione
hanno queste espressioni?*

12 Ancora qualcosa...

*Lavora con un compagno. Fate un dialogo al
ristorante come quello del punto* **11** *: il cliente
ordina ancora qualcosa e il cameriere risponde.
Aiutatevi con i balloon.*

| Mi porta ancora | mezza minerale?
un po' di pane?
un tovagliolo? |

Scusi!

Certo, signora!

No, grazie…
Ah, un momento…

buon appetito!

13 In che locale mangiano?

Leggi velocemente gli annunci e collegali alle seguenti persone.

a Teresa preferisce la cucina di mare.

b Emilio non mangia carne.

c Andrea ama i piatti tipici regionali.

d Ada vuole fare una festa in un ristorante per circa cinquanta persone.

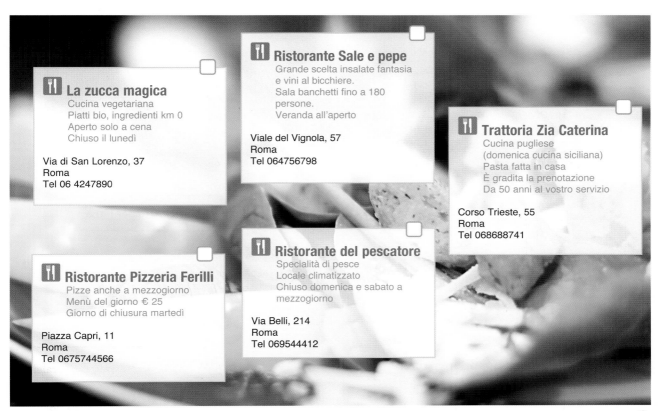

La zucca magica
Cucina vegetariana
Piatti bio, ingredienti km 0
Aperto solo a cena
Chiuso il lunedì

Via di San Lorenzo, 37
Roma
Tel 06 4247890

Ristorante Sale e pepe
Grande scelta insalate fantasia
e vini al bicchiere.
Sala banchetti fino a 180
persone.
Veranda all'aperto

Viale del Vignola, 57
Roma
Tel 064756798

Trattoria Zia Caterina
Cucina pugliese
(domenica cucina siciliana)
Pasta fatta in casa
È gradita la prenotazione
Da 50 anni al vostro servizio

Corso Trieste, 55
Roma
Tel 068688741

Ristorante Pizzeria Ferilli
Pizze anche a mezzogiorno
Menù del giorno € 25
Giorno di chiusura martedì

Piazza Capri, 11
Roma
Tel 0675744566

Ristorante del pescatore
Specialità di pesce
Locale climatizzato
Chiuso domenica e sabato a
mezzogiorno

Via Belli, 214
Roma
Tel 069544412

E tu, quale ristorante preferisci?

E 12

14 Un invito a cena

27 ((▶

Gigi ed Anna hanno ospiti a cena e preparano un menù.
Ascolta il dialogo e segna i piatti che nominano.

☐ arrosto
☐ carote
☐ cotolette
☐ formaggio
☐ frittata con le zucchine
☐ frutta fresca

☐ gelato
☐ insalata
☐ macedonia
☐ melanzane alla parmigiana
☐ minestrone
☐ mozzarella

☐ pere cotte
☐ petti di pollo
☐ purè di patate
☐ risotto ai funghi
☐ spaghetti
☐ tortellini in brodo

Ascolta di nuovo il dialogo e segna l'espressione giusta.

Fausto
non mangia
- ☐ il pesce.
- ☐ la carne.
- ☐ il formaggio.

Anna e Gigi
- ☐ hanno tempo
- ☐ non hanno molto tempo

per cucinare

Gigi
non mangia
- ☐ il pesce.
- ☐ la carne.
- ☐ il formaggio.

Anna e Gigi
alla fine
- ☐ sono d'accordo.
- ☐ non sono d'accordo.

15 Stasera facciamo...

Scrivi il menù che consiglieresti a Gigi ed Anna.

Antipasto: Secondo: Dessert:

Primo: Contorno:

per le otto / per l'una

1 È possibile prenotare un tavolo?

28 ((▶

Metti in ordine il dialogo, come nell'esempio. Poi ascolta e verifica.

■ **1** Ristorante Roma, buongiorno.
▽ *d*

■ **2** Certo. Per quante persone?
▽ ☐

■ **3** D'accordo. E a che nome?
▽ ☐

■ **4** Come, scusi?
▽ ☐

■ **5** Ah, va bene.
▽ ☐

■ **6** Prego, si figuri! A più tardi.
▽ ☐

■ **7** Arrivederci.

a Lochmann.

b Arrivederci.

c Sei, forse sette.

d Buongiorno. Scusi, è possibile prenotare un tavolo per le otto?

e Grazie mille.

f Lochmann, elle - o - ci - acca - emme - a - enne - enne.

2 Tavolo riservato

In coppia con un compagno, prenota telefonicamente un tavolo in un ristorante.
Fai lo spelling del tuo nome (inventato) e poi controlla se il tuo compagno lo ha scritto bene.

E 13·14

comunicazione e grammatica

- ■ Cosa desidera? - I signori desiderano?
- ▼ Io prendo un... - Per me un... - Vorrei un...
- ■ E da bere?
- ▼ Un... per cortesia/per favore/per piacere.

- ■ Vuole il menù?
- ▼ No, grazie. Vorrei solo un primo/ un secondo. - Sì, grazie.

- ■ Desidera ancora qualcos'altro?
- ▼ Sì, grazie. Che cosa avete oggi? - No, grazie, va bene così.

- ■ Prende un caffè?
- ▼ No, grazie - Sì, grazie.

Scusi, mi porta ancora mezza minerale /
un po' di pane / un tovagliolo?
E poi il conto, per cortesia.

- ■ È possibile prenotare un tavolo per le otto?
- ▼ Certo, per quante persone?

- ■ Grazie mille!
- ▼ Prego, si figuri!

Grammatica

Articoli determinativi

	maschile		femminile	
	singolare	plurale	singolare	plurale
(davanti a **consonante**)	**il** gelato	**i** gelati	**la** pizza	**le** pizze
(davanti a **vocale**)	**l'**antipasto	**gli** antipasti	**l'**insalata	**le** insalate
(davanti a **s + consonante**)	**lo** spumante	**gli** spumanti		

'ALMA.tv

Mettiti alla prova. Vai su *www.alma.tv*
nella rubrica Linguaquiz e fai il
videoquiz "L'artic

3

Il plurale dei sostantivi

	singolare	plurale
maschile	l'aperitiv**o**	gli aperitiv**i**
	il bicchier**e**	i bicchier**i**
femminile	la bevand**a**	le bevand**e**
	la carn**e**	le carn**i**
ma:	il tè	i tè
	la specialit**à**	le specialit**à**
	il toast	i toast

*I nomi maschili in -**o** ed -**e** hanno il plurale in -**i**; i nomi
femminili in -**a** hanno il plurale in -**e**; i nomi femminili
in -**e** hanno il plurale in -**i**.*

*Eccezione: tutti i nomi (sia maschili che femminili)
con accento sull'ultima sillaba (es. tè, specialità) o che
terminano per consonante (es. toast) al plurale rimangono
invariati.*

bene – buono

- ■ Vorrei solo un tè al latte.
- ▼ **Bene**, signora
  Qui il caffè è molto **buono.**

Bene *è un avverbio e si riferisce sempre ad un verbo (qui si mangia bene,
si beve bene);* **buono** *è un aggettivo e si riferisce sempre ad un oggetto.*

Gli interrogativi

(Che) cosa avete oggi?
Quali piatti conoscete?
Per **quante** persone?

Gli **interrogativi** *introducono una domanda e sono sempre prima
di un verbo o di un sostantivo.*

1 Prima di guardare il video: il titolo di questo episodio è "Un pranzo veloce". Che parole ti vengono in mente quando parliamo di "pranzo"? Scrivi 4 parole (cose o persone).

1 _____ **2** _____ **3** _____ **4** _____

VIDEO

2 Guarda il video: ci sono le parole che hai scritto al punto **1**?

3 Osserva i fotogrammi e indica le opzioni corrette.

a *A cosa pensa Federico quando dice: "un primo"?*

> Ma non hai fame?
> Mangiamo una cosa veloce
> e poi lavoriamo, ok?

> Ma sì, un piatto,
> un primo.

b *Indica i piatti menzionati nel dialogo.*

☐ spaghetti alla bolognese   ☐ pizza Margherita
☐ insalata mista   ☐ cotoletta alla milanese
☐ antipasto di salumi   ☐ spaghetti ai frutti di mare
☐ pizza Quattro stagioni   ☐ tiramisù
☐ acqua naturale   ☐ vino rosso

c *Cosa vogliono prendere i due amici? E cosa prendono invece, alla fine?*

	mangiare	bere
Matteo vuole:	_____	_____
ma prende:	_____	_____
Federico vuole:	_____	_____
ma prende:	_____	_____

3

un pranzo veloce

VIDEO

4 **Inserisci le battute del cameriere e ricostruisci il dialogo. Poi riguarda e verifica.**

◆ _____

■ Mah, io prendo un primo. Spaghetti. Ai frutti di mare.

◆ _____

■ Oh beh, allora… Ok, va bene una pizza. Tu, Fede? Cosa vuoi?

▼ Sì, Anch'io voglio una pizza. …Una quattro stagioni.

◆ _____

■ Uhm, allora guardi… per me una bella Margherita! Tu, Fede, che pizza preferisci?

▼ Ah, ma avete anche la cotoletta alla milanese, buona! Ma no, anch'io prendo la Margherita, vai.

◆ _____

▼ Io vorrei una birra piccola. …Se c'è.

◆ _____

■ Allora due birre. In bottiglia, eh! E anche un litro d'acqua.

cameriere

1 Bene, allora le pizze sono due. E da bere?

2 No, abbiamo solo pizza Margherita.

3 Abbiamo solo birre in bottiglia.

4 Buongiorno. Che prendete?

5 No, gli spaghetti non ci sono. Oggi solo pizza. Il cuoco è malato.

5 **Nell'episodio trovi espressioni molto usate in italiano. Inserisci _allora_ e _dai_ al posto giusto. Per la verifica, guarda l'episodio un'altra volta.**

Guarda la videogrammatica dell'episodio

Ristorante, trattoria, o...?

Leggi il testo e poi abbina le frasi alle immagini.

a ☐ Un piccolo spazio all'aperto, per prendere un panino o una pizza in modo veloce.

b ☐ Locale dove prendiamo il gelato.

c ☐ Locale dove mangiare la pizza.

d ☐ Dove mangiare un pasto completo (primo, secondo, contorno, ecc.).

e ☐ Per fare colazione, prendere un caffè o qualcosa da bere o da mangiare in pochi minuti.

f ☐ Come il ristorante, ma l'ambiente è più semplice.

g ☐ Locale economico per mangiare o prendere qualcosa di caldo e già pronto.

3

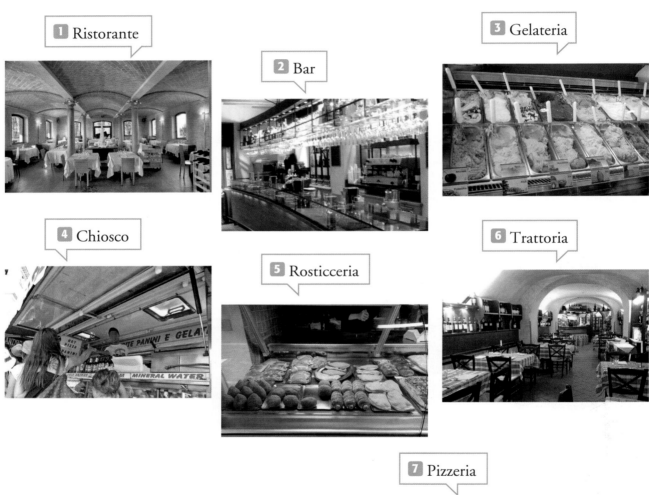

1 Ristorante
2 Bar
3 Gelateria
4 Chiosco
5 Rosticceria
6 Trattoria

Attenzione: è facile trovare anche locali misti, cioè: ristorante-pizzeria, pizzeria-rosticceria, ecc.

7 Pizzeria

Tempo libero

4

comunicazione

Che cosa fai nel tempo libero?

Di solito faccio sport.

Ti piace cucinare?

A me piacciono gli spaghetti.

Anche a me.

Scusi, che ora è?

grammatica

I verbi regolari in *-ire*

I verbi *andare, giocare, leggere, uscire*

Gli avverbi di frequenza *di solito, sempre, spesso, qualche volta, non… mai*

Le preposizioni *in, a, con*

I giorni della settimana

mi piace / mi piacciono

La forma *anche / neanche*

I pronomi indiretti singolari (tonici e atoni)

L'interrogativo *perché*

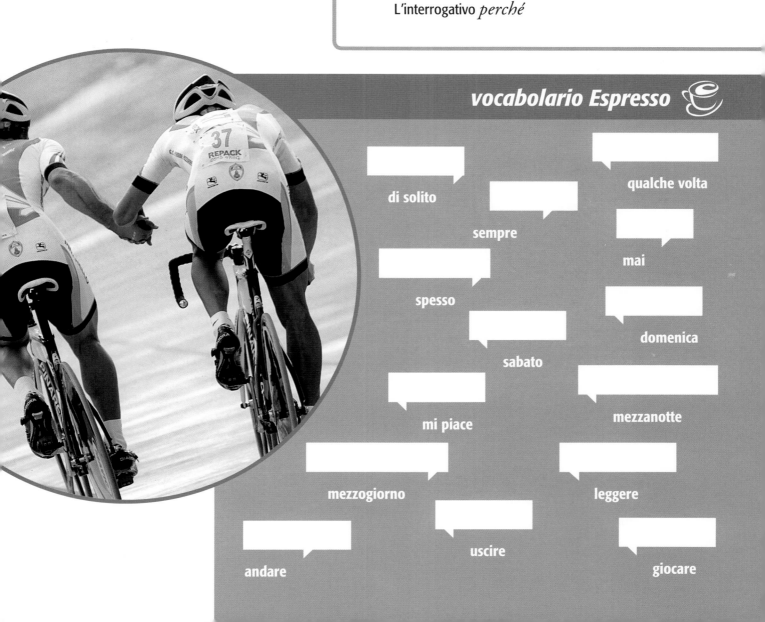

vocabolario Espresso

di solito

qualche volta

sempre

mai

spesso

domenica

sabato

mi piace

mezzanotte

mezzogiorno

leggere

uscire

andare

giocare

1 Che cosa fanno?

Scrivi accanto al disegno il numero corrispondente all'attività.

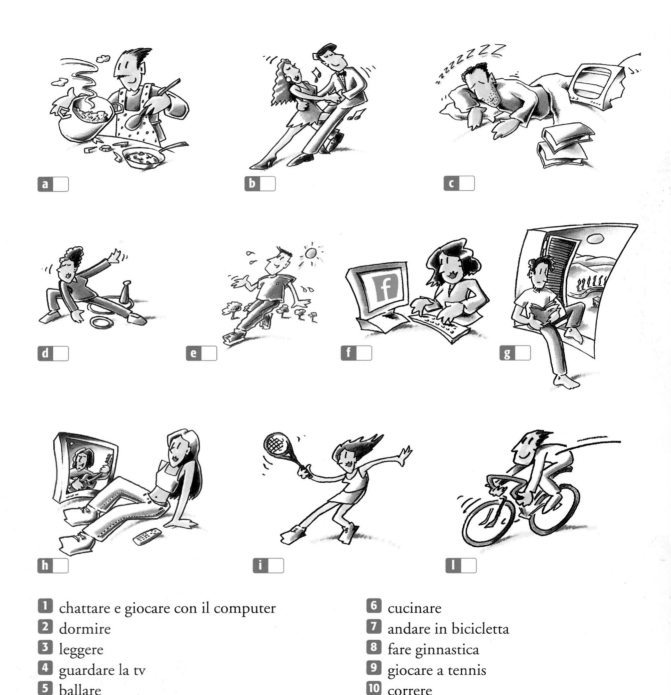

a	b	c
d	e	f	g
h	i	l

1 chattare e giocare con il computer	6 cucinare
2 dormire	7 andare in bicicletta
3 leggere	8 fare ginnastica
4 guardare la tv	9 giocare a tennis
5 ballare	10 correre

2 Di solito faccio sport

31 ((▶

*Ascolta il dialogo. Di quali attività del punto **1** si parla?*

tempo libero

Ascolta di nuovo e verifica.

- ■ Che cosa fai nel tempo libero?
- ▼ Io? Di solito faccio sport.
- ■ Ah… E che sport fai?
- ▼ Di solito gioco a calcio, ma gioco anche a tennis, vado in bicicletta… E tu?
- ■ Io invece dormo, leggo o guardo la TV. Sto quasi sempre a casa. Non sono brava come te.
- ▼ Anch'io sto quasi sempre a casa…
- ■ Ma come? Non giochi a calcio, a tennis…?
- ▼ Sì, certo. Ma a casa, con il computer!

Completa le coniugazioni con i verbi del dialogo.

	-are giocare	-ere leggere	-ire dormire	irregolare andare
(io)	_____	_____	_____	_____
(tu)	_____	leggi	dormi	vai
(lui, lei, Lei)	gioca	legge	dorme	va
(noi)	giochiamo	leggiamo	dormiamo	andiamo
(voi)	giocate	leggete	dormite	andate
(loro)	giocano	leggono	dormono	vanno

> di solito
> quasi sempre

E 1

4

3 E voi che cosa fate di solito nel tempo libero?
Che cosa fai nel tempo libero? Parla con un compagno.

> ◆ Che cosa fai/fa nel tempo libero?
> ▲ Io di solito… E tu/E Lei…?

andare al cinema

ascoltare musica

lavorare in giardino

fare la spesa

fare una passeggiata

giocare a carte

E 2·3

tempo libero

4 Cerca una persona che...

Intervista i tuoi compagni. Ad ogni persona puoi fare al massimo due domande.
Vince chi per primo completa la lista.

> Tu giochi a tennis nel tempo libero?

	nome
gioca a tennis	....
va in bicicletta	....
gioca con il computer	....
cucina	....
fa sport	....
lavora in giardino	....
ascolta musica	....
gioca a carte	....
fa yoga	....
legge il giornale	....

E 4

5 Che cosa fai il fine settimana?

32

Ascolta: vero o falso?

		vero	falso
Martina:	il sabato sera esce	☐	☐
	la domenica sera non esce	☐	☐

La settimana

Lunedì	Martedì	Mercoledì	Giovedì	Venerdì	Sabato	Domenica

Ascolta, leggi e verifica.

■ Martina, tu che cosa fai il fine settimana?

▼ Mah, il sabato sera esco sempre con il mio ragazzo. Andiamo spesso in discoteca con gli amici. E tu, che cosa fai?

■ Anch'io il sabato sera esco con il mio ragazzo, ma non sempre... perché qualche volta lui lavora. La domenica sera io e lui andiamo spesso al cinema o a mangiare una pizza. E voi?

▼ No, noi la domenica sera non usciamo mai.

Completa la coniugazione di uscire *con i verbi del dialogo.*

	uscire
(io)	_____
(tu)	esci
(lui, lei, Lei)	esce
(noi)	_____
(voi)	uscite
(loro)	escono

Metti al posto giusto qualche volta *e* sempre.

qualche volta	sempre

(+++) _____
(++)   spesso
(+)   _____
(-)   non... mai

E 6

4

tempo libero

6 Sempre, spesso o mai?

Scrivi con che frequenza fai queste attività, come nell'esempio.

fare ginnastica *Non faccio mai ginnastica.*	andare a teatro
cucinare	fare la spesa
guardare la TV	uscire con gli amici
mangiare fuori	andare a sciare

Gioca con un compagno. A turno, indovinate con che frequenza l'altro fa queste attività.
Ogni attività indovinata è un punto. Seguite l'esempio.

◆ Tu cucini spesso. Giusto?
▲ Sì, giusto. / No, sbagliato.

7 Studio l'italiano

Leggi questi profili sulla bacheca del sito parloitaliano.it *e rispondi alle domande.*

E 5

4

Nome: **Cesar**
Cognome: **Ponti**
Età: **31** Paese: **Brasile**
Professione: **insegnante**

Insegno inglese. Nel tempo libero vado in piscina, gioco a calcio, faccio passeggiate, oppure suono il basso o il pianoforte. Studio la lingua italiana perché amo l'Italia. Vorrei conoscere una ragazza italiana.

Nome: **Olga**
Cognome: **Sukova**
Età: **25** Paese: **Russia**
Professione: **studentessa**

Studio economia. Mi piace ballare, viaggiare, andare al cinema. Studio l'italiano da sei mesi e amo molto la cucina italiana. Vorrei corrispondere con studenti italiani.

Nome: **Anne**
Cognome: **Blanc**
Età: **24** Paese: **Francia**
Professione: **impiegata**

Studio la lingua italiana perché lavoro in un albergo. Vorrei corrispondere con altre persone che imparano l'italiano. Nel tempo libero faccio sport, leggo libri, ascolto musica. Mi piacciono moltissimo le canzoni di Tiziano Ferro.

	Cesar	Olga	Anne
Chi lavora?	☐	☐	☐
Chi fa sport?	☐	☐	☐
Chi suona uno strumento?	☐	☐	☐
Chi ama la musica italiana?	☐	☐	☐
Chi viaggia volentieri?	☐	☐	☐
Chi studia l'italiano da poco tempo?	☐	☐	☐
Chi studia l'italiano per lavoro?	☐	☐	☐

giocare a calcio
suonare il pianoforte

Cosa dici

per esprimere un gusto _____

per esprimere un desiderio _____

tempo libero

8 Il mio profilo

Anche tu cerchi amici su parloitaliano.it.
Scrivi il tuo profilo.

> Mi *piace* leggere.
> Mi *piace* la musica italiana.
> Mi *piacciono* le canzoni italiane.

E 7

9 Fra amici

33

Ascolta e completa il dialogo con le parole scritte a destra.

■ Allora, Patrizia, cosa fai domani sera?

▼ Mah, forse vado in discoteca con Guido...

■ Ah, _____ ballare?

piace

▼ Sì, tantissimo. _____ soprattutto i balli sudamericani.

Mi piacciono

    E tu? Che cosa fai?

■ Domani vado all'opera.

ti piace   odio

▼ Oddio!

■ Beh, perché?

A me

▼ Io _____ l'opera.

■ Veramente? _____ invece _____ moltissimo.

Che gusti hanno Patrizia e Silvio? Forma delle frasi.

A Patrizia	piace	i balli sudamericani.
A Silvio	non piace	l'opera.
Patrizia	piacciono	ballare.
Silvio	odia	all'opera.
	va volentieri	in discoteca.

10 Le piace...?

Intervista un compagno. Scopri i suoi gusti.

> ■ Ti piace/ti piacciono ... ?   ◆ No, non molto./No, affatto./No, per niente.
> ◆ Le piace/Le piacciono ... ?   ■ Sì, moltissimo./Sì, molto.

il rap   il calcio   i fumetti   la musica classica   il corso d'italiano   dormire

cucinare   i libri di fantascienza   l'arte moderna   leggere a letto   i film gialli

tempo libero

11 Anche a me!

Collega i dialoghi ai simboli matematici, come nell'esempio.

E 8

- ■ A me piace il rock.
- ▼ Anche a me.

- ■ A me piacciono gli spaghetti.
- ▼ A me no.

| + + | | + - | | - + | | - - |

- ■ A me non piacciono i libri gialli.
- ▼ Neanche a me.

- ■ A me non piace ballare.
- ▼ A me invece sì.

Scrivi cosa ti piace (+) o cosa non ti piace (-). Il compagno risponde (a una frase positiva può rispondere anche a me / a me no*; a una frase negativa può rispondere* neanche a me / a me sì*). Riporta le risposte del compagno, con un segno <+> o un segno <-> nelle caselle rosse, come nell'esempio.*

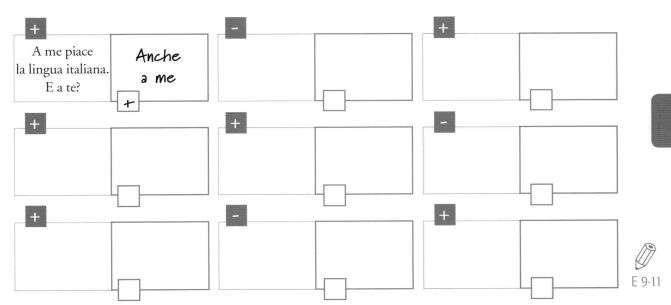

+	A me piace la lingua italiana. E a te?	Anche a me	+
-			
+			

+			
+			
-			

+			
-			
+			

E 9·11

12 Che giorno è oggi?

Ascolta il dialogo e completa con una X l'agenda degli impegni di Paola.

34

	venerdì		sabato		domenica	
	pomeriggio	sera	pomeriggio	sera	pomeriggio	sera
cinema	☐	☐	☐	☐	☐	☐
corso di cucina	☐	☐	☐	☐	☐	☐
corso di chitarra	☐	☐	☐	☐	☐	☐
corso di tango	☐	☐	☐	☐	☐	☐
lezione di tennis	☐	☐	☐	☐	☐	☐

tempo libero

1 Che ora è? Che ore sono?

Ascolta la fine del dialogo. Che ore sono? Segna con una X l'orologio giusto.

a   **b**   **c**   **d**

e   **f**   **g**   **h**

2 Sono le...

Abbina le ore agli orologi del punto **1***, come nell'esempio.*

1 **a** È l'una.

2 ☐ Sono le due e trenta. / Sono le due e mezza.

3 ☐ Sono le tre meno un quarto. / Sono le due e tre quarti.

4 ☐ Sono le tre meno venti. / Sono le due e quaranta.

5 ☐ Sono le due.

6 ☐ Sono le due e venticinque.

7 ☐ Sono le due e un quarto. / Sono le due e quindici.

8 ☐ È mezzogiorno. È mezzanotte.

E 10

3 E adesso che ore sono?

Scrivi l'ora.

_____ _____ _____ _____

Che ore sono? = Che ora è?

'ALMA.tv ▶

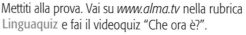

Mettiti alla prova. Vai su *www.alma.tv* nella rubrica Linguaquiz e fai il videoquiz "Che ora è?".

E 12·13

comunicazione e grammatica

Grammatica

Gli avverbi di frequenza

Di solito la sera guardo la TV.
Esco **sempre** con gli amici.
Spesso mangio fuori. - Mangio **spesso** fuori.
Qualche volta vado al cinema.
Non vado **mai** a sciare.

Si usano per indicare quante volte si fa una cosa.

*Attenzione: **mai** è sempre unito a **non** con questa costruzione: **non** + verbo + **mai***

Le preposizioni *in, a, con*

Sto / Sono **in** palestra. - Vado **in** palestra.
Sto / Sono **a** casa. - Vado **a** casa.

Esco **con** gli amici.

Vado **al** cinema / Vado **all'**opera

Con i verbi di stato e con i verbi di movimento in molti casi si usano le stesse preposizioni.

*La preposizione **con** indica compagnia.*

*La preposizione e l'articolo molte volte formano una sola parola: **a** + **il** = **al** - **a** + **l'** = **all'**.*

I pronomi indiretti singolari (tonici e atoni)

atoni	tonici
(Non) **Mi** piace sciare.	**A me** (non) piace sciare.
(Non) **Ti** piace l'opera?	**A te** (non) piace l'opera?
(Non) **Le** piace leggere ?	**A Lei** (non) piace leggere?

A me non piace sciare. E **a te**?

*In italiano ci sono pronomi indiretti atoni (**mi, ti, Le**) e tonici (**a me, a te, a Lei**). Questi vanno sempre prima del verbo. La negazione **non** si mette prima dei pronomi atoni e dopo i pronomi tonici.*

Il pronome tonico si usa quando si vuole mettere in evidenza un complemento o un'azione e per rilanciare una domanda.

I verbi regolari in *-are, -ere, -ire*

	-are	-ere	-ire	-ire (-isco)
	abitare	leggere	dormire	preferire
(io)	abito	leggo	dormo	preferisco
(tu)	abiti	leggi	dormi	preferisci
(lui, lei, Lei)	abita	legge	dorme	preferisce
(noi)	abitiamo	leggiamo	dormiamo	preferiamo
(voi)	abitate	leggete	dormite	preferite
(loro)	abitano	leggono	dormono	preferiscono

'ALMA.tv

Vuoi approfondire la conoscenza dei verbi regolari in modo semplice e chiaro? Vai su www.alma.tv e guarda il video "Quando l'irregolare è regolare" della Grammatica caffè. Imparerai molte cose.

Gli interrogativi

Perché studi l'italiano?

Perché si usa per chiedere il motivo di qualcosa.

VIDEO

1 **Prima di guardare il video, osserva il fotogramma e rispondi alle domande. Poi guarda il video e verifica.**

1 Dove sono i due ragazzi?
_____
_____

1 Cosa fanno?
_____
_____

2 **Abbina le frasi ai fotogrammi. Attenzione: c'è una frase in più.**

1 ☐ Il giovedì vado a giocare a calcio con gli amici.
2 ☐ Buongiorno signori. Cosa prendete?
3 ☐ Oh, sono già le 11 e mezza, devo andare…

3 **Guarda ancora il video e completa la tabella.**

Attività	Laura dice che Federico...	Federico dice che lui...
Uscire con gli amici		
Fare sport	non fa mai sport.	
Cucinare		non cucina spesso.
Stare su internet		
Decidere	ha sempre problemi a decidere.	decide sempre senza problemi.

il quiz psicologico

4

videocorso

4 Osserva i fotogrammi, leggi le battute e rispondi alle domande.

Sì. Vabbè...

1 Cosa significa secondo te questa parola?
- **a** ☐ Non importa.
- **b** ☐ Va bene.
- **c** ☐ Non mi piace.

RICORDA
Hai notato quante volte in questo episodio i due ragazzi dicono *dai*? C'è un'espressione simile nella tua lingua?

Eh? Boh, direi spesso. Ma perché questa domanda?

2 Cosa significa secondo te?
- **a** ☐ Non voglio.
- **b** ☐ Non so.
- **c** ☐ Non mi piace.

Sì, per me... Un caffè. Anzi no, una birra. No no, una birra no...

3 Perché Federico usa questa espressione?
- **a** ☐ Perché non gli piace il caffè.
- **b** ☐ Perché la birra non è buona.
- **c** ☐ Perché preferisce un'altra cosa.

5 Completa il testo con i verbi.

Laura e Federico (*essere*) _____ in un bar: Federico (*giocare*) _____
con il cellulare, Laura (*leggere*) _____ una rivista. Poi Laura (*chiedere*)
_____ a Federico quante volte (*uscire*) _____ con gli amici: è una
domanda di un test psicologico; a Laura (*piacere*) _____ i quiz, Federico non
(*volere*) _____ giocare, ma poi (*rispondere*) _____. Allora Laura
(*continuare*) _____ con le domande: quante volte lui (*fare*) _____
sport, quanto spesso (*cucinare*) _____, e quanto tempo (*stare*) _____
su Internet.
Alla fine (*arrivare*) _____ la cameriera e (*chiedere*) _____
a Laura e Federico cosa (*volere*) _____: Laura (*prendere*) _____ un
succo d'arancia, ma per Federico (*essere*) _____ difficile decidere: "... Un caffè.
Anzi no, una birra. No no, una birra no... Tu cosa (*prendere*) _____, Laura?"

> ⟰ **Guarda la videogrammatica dell'episodio**

caffè culturale

a. *Secondo te quali sono le 3 città italiane più visitate ogni anno? (Per la verifica, leggi il testo al punto **b**.)*

- **a** Roma
- **b** Firenze
- **c** Torino
- **d** Pompei
- **e** Venezia
- **f** Milano

b. *Leggi il testo e poi abbina i sei nomi **evidenziati** alle foto corrispondenti, come nell'esempio.*

Quali città italiane visitano i turisti stranieri? Roma su tutte, ma anche Firenze e Venezia. Cosa preferiscono vedere?
A Roma il **Colosseo**, naturalmente, ma anche i Musei Vaticani, che comprendono la **Cappella Sistina**.
A Firenze, ogni giorno centinaia di turisti fanno la fila per entrare nella **Galleria degli Uffizi** e ammirare i capolavori dell'arte italiana del Rinascimento, mentre andare a Venezia significa anche andare a **Piazza San Marco** e visitare la bellissima Basilica.
Il turismo c'è anche al nord, soprattutto a Milano, famosa per il suo **duomo** (ma anche per il Cenacolo di Leonardo) e a Torino, la città con il Museo Egizio più importante dopo quello del Cairo, in Egitto.
Nell'Italia del Sud i turisti non vanno soltanto al mare, ma vanno anche a **Pompei**, dove possono fare un vero viaggio nel tempo. Altro luogo famoso è la Reggia Borbonica di Caserta, opera del grande architetto Luigi Vanvitelli e capolavoro del Barocco italiano: ha 1200 stanze e il suo parco è lungo 3 chilometri.

1   **2** Galleria degli Uffizi   **3**

4   **5**   **6**

c. *Quale di queste città hai visitato o quale ti piacerebbe visitare?*

In albergo

comunicazione

Avete una camera per il prossimo fine settimana?

Quanto viene la camera?

Ho un problema: non funziona il televisore.

L'appartamento è piccolo ma molto comodo.

È proprio il periodo che interessa a me.

grammatica

c'è - ci sono

I verbi *potere* e *venire*

Le preposizioni di tempo *da... a*

Le preposizioni articolate

I mesi

I numeri ordinali

L'interrogativo *quanto*

I numeri cardinali da 100

La data

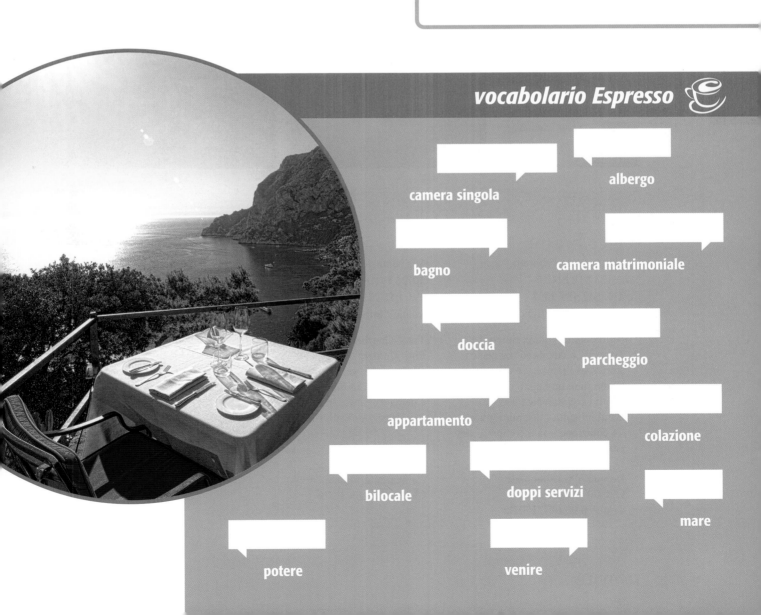

vocabolario Espresso

camera singola

albergo

bagno

camera matrimoniale

doccia

parcheggio

appartamento

colazione

bilocale

doppi servizi

mare

potere

venire

1 Che cosa significa?

Collega le parole ai disegni.

☐ frigobar   ☐ bagno   ☐ parcheggio

☐ camera singola   ☐ cani ammessi

☐ doccia

☐ camera matrimoniale

☐ colazione   ☐ connessione Wi-Fi

2 L'albergo ideale

Leggi le descrizioni degli alberghi e rispondi alle domande di pag. 61.

VILLA CARLOTTA

Firenze

Il Giglio d'Oro
Via Antonio Pacinotti, 11
50123 FIRENZE
Tel. 347 484 3098
e-mail: info@ilgigliodoro.eu

Ambiente familiare, tipico della Toscana, a due passi dal centro storico di Firenze. Le camere hanno tutte un bagno privato, tv, aria condizionata e Wi-Fi. Bambini sotto i due anni gratis. La colazione non è compresa nel prezzo.

Doppia o Matrimoniale:
€ 70,00 - 130,00
Tripla: € 90,00 - 150,00

Villa Carlotta
Via Michele di Lando, 3
50125 FIRENZE
Tel. 055 233 61 51
e-mail: info@hotelvillacarlotta.it

Tra il Giardino di Boboli e Palazzo Pitti. Camere con bagno e doccia, telefono, TV satellitare, Wi-Fi e frigobar. Giardino. Ristorante. Cucina toscana e internazionale. Parcheggio privato. Cani ammessi.

Camera matrimoniale €240
Camera singola €170

Istituto suore di Santa Elisabetta
Viale Michelangiolo, 46
50125 FIRENZE
Tel. 055/68 118 84

Elegante villa in un quartiere residenziale. 35 camere singole, doppie e triple, alcune con bagno. Colazione compresa. €30 a persona. Orario di rientro: ore 22.00. Parcheggio, sala TV, sala riunioni, cappella. Aperto tutto l'anno.

5

in albergo

Qual è l'albergo ideale per...

una vacanza economica?
chi ha un cane?
chi ha bambini?
chi ama la cucina tipica?

Vuoi passare tre o quattro giorni a Firenze.
Quale albergo preferisci? Perché?

Preferisco l'hotel... perché

☐ non è caro.   ☐ è possibile portare animali.

☐ è tranquillo.   ☐ ha il ristorante.

☐ è in centro.   ☐ ha l'aria condizionata.

☐ ha il parcheggio.   ☐ ....

Confronta le risposte con quelle di un compagno.

■ Io preferisco l'hotel... E tu/E Lei?
▼ Io invece preferisco l'hotel...

■ Io preferisco l'hotel... E tu/E Lei?
▼ Anch'io.
■ Ah, bene. E perché?
▼ Perché...

E 1

3 Una prenotazione

39 ((►

Ascolta la telefonata e completa il questionario.

La signora Cipriani desidera
☐ una camera singola.
☐ una camera per due persone.

Prenota la camera
☐ per due notti.
☐ per una notte.

La camera viene
☐ 120 euro a persona.
☐ 240 euro a persona.

Nel prezzo
☐ è compresa
☐ non è compresa
la colazione.

L'albergo
☐ ha il garage.
☐ non ha il garage.

Per la conferma il receptionist desidera
☐ un fax.
☐ il numero della carta di credito.

La signora Cipriani fa la prenotazione
☐ al telefono.
☐ via e-mail.

in albergo

Ascolta, leggi e verifica.

- ■ Villa Carlotta, buongiorno.
- ◆ Buongiorno. Senta, avete una camera per il prossimo fine settimana?
- ■ Un attimo, per favore. Dunque... sì, c'è una matrimoniale. Va bene?
- ◆ Sì.
- ■ E... da venerdì o da sabato?
- ◆ No, venerdì non posso venire, quindi solo sabato e domenica.
- ■ Quindi da sabato 23 a domenica 24 giugno. Una sola notte. Perfetto.
- ◆ Senta, mi può dire quanto viene la stanza?
- ■ Allora, la matrimoniale viene 120 a persona, quindi 240 euro, colazione compresa.
- ◆ Ah, la colazione è compresa nel prezzo?
- ■ Sì, sì, certo.
- ◆ Benissimo. Senta, ho un'altra domanda. Avete il garage?
- ■ Sì, c'è un garage coperto e ci sono anche due parcheggi all'aperto.
- ◆ Va bene, allora come posso fare per prenotare?
- ■ Mi può lasciare il numero della Sua carta di credito?
- ◆ Sì, certo.
- ■ O se preferisce mi manda una mail con il numero.
- ◆ No, no, possiamo fare anche subito.
- ■ Ok, allora, il Suo nome è?
- ◆ Cipriani Francesca.
- ■ Ci...pria...ni. Fran... ces... ca. Perfetto. Che carta di credito ha?
- ◆ Mastercard.
- ■ Numero?
- ◆ Allora... 2486...

> C'è una camera matrimoniale.
> **Ci sono** anche due parcheggi.

Completa la coniugazione di potere *con i verbi del dialogo.*

potere	
(io)	_____
(tu)	puoi
(lui, lei, Lei)	_____
(noi)	_____
(voi)	potete
(loro)	possono

Trova l'espressione adatta. Confronta poi con un compagno. Cosa si dice per...

chiedere se c'è una camera libera? _____

chiedere il prezzo della camera? _____

chiedere ancora qualcosa? _____

5

in albergo

4 Quanto viene la camera?

Forma gli scambi di battute, come nell'esempio

E 2·3

Domande		Risposte	
Quanto viene la	camera libera?	C'è una	camera matrimoniale.
Avete una	*camera?*	Può lasciare il numero	certo.
Come posso fare	compresa nel prezzo?	*La camera*	della sua carta di credito.
C'è il	garage?	Sì, ci sono anche	due parcheggi.
La colazione è	per prenotare?	Sì, sì,	*viene 240 euro.*

5 Avete una camera...?

Mettiti schiena contro schiena con un compagno. Uno è il receptionist, l'altro il cliente dell'albergo Luna. Il receptionist compila la tabella qui sotto alla voce "Albergo Luna" mentre il cliente compila la voce "Cliente".

Quando avete finito improvvisate il dialogo al telefono. Il cliente chiama l'albergo per prenotare una stanza e chiede tutte le informazioni.

Albergo Luna			Cliente		
Prezzi:			Periodo:		
singola _____ euro					
doppia _____ euro			Numero persone:		
tripla _____ euro					
Colazione compresa:	☐ sì	☐ no	Colazione?	☐ sì	☐ no
Bagno in camera:	☐ sì	☐ no	Bagno in camera?	☐ sì	☐ no
Wi-Fi:	☐ sì	☐ no	Wi-Fi?	☐ sì	☐ no
Parcheggio:	☐ sì	☐ no	Parcheggio?	☐ sì	☐ no

E 4·5·6

in albergo

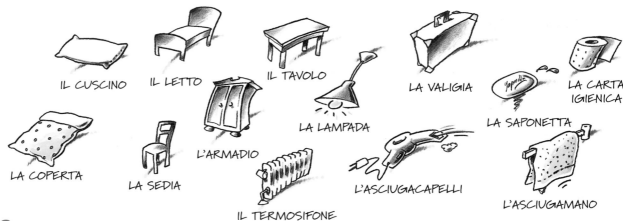

IL CUSCINO   IL LETTO   IL TAVOLO   LA VALIGIA   LA CARTA IGIENICA

L'ARMADIO   LA LAMPADA   LA SAPONETTA

LA COPERTA   LA SEDIA   L'ASCIUGACAPELLI   L'ASCIUGAMANO

IL TERMOSIFONE

6 Che cosa c'è?

Osserva il disegno per 30 secondi, poi chiudi il libro.
Che cosa c'è nella stanza? Ti ricordi i nomi degli oggetti in italiano?

> nella camera
> nella = in + la

> Nella camera c'è... / ci sono...

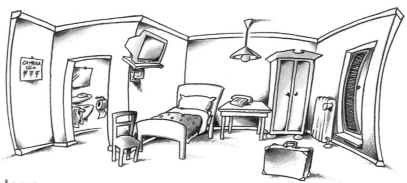

7 Ho un problema

40 ((▶

Una signora telefona alla reception di un albergo.
Ascolta la telefonata.

■ _____

▼ Buona sera. Senta, ho un problema.

■ _____

▼ La numero 18.

■ _____

▼ Eh, nel bagno non funziona il termosifone.

■ _____

▼ Grazie. E poi ancora una cosa: posso avere un altro cuscino?

■ _____

▼ Grazie mille.

■ _____

in albergo

Completa il dialogo con le frasi del portiere.

a 18… ok. Mi dica signora, che problema ha?
b Certo, signora.
c Forse è spento. Viene subito qualcuno a controllare.
d Prego, si immagini!
e Qual è la sua camera?
f Reception, buona sera.

Riascolta il dialogo e controlla.

venire	
(io)	vengo
(tu)	vieni
(lui, lei, Lei)	viene
(noi)	veniamo
(voi)	venite
(loro)	vengono

dalla = da + la
nel = in + il

41

8 Problemi, problemi...

Guarda i disegni: che cosa dici in questi casi? Forma delle frasi con le parole della lista.

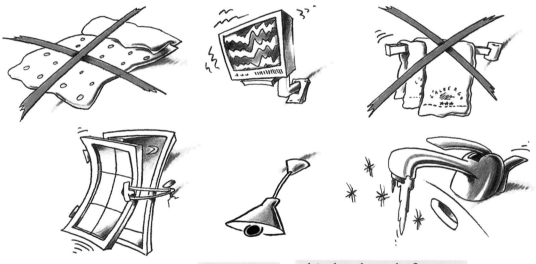

Qui non è possibile   Il televisore   chiudere bene la finestra.

gli asciugamani.

Nel bagno non ci sono   Posso avere   non funziona.   l'acqua calda.

con la lampada.

Manca   C'è un problema   ancora una coperta?

9 Un cliente scontento

*Lavorate in coppia. A è il cliente, B è il receptionist.
Nella stanza di A manca o non funziona qualcosa.
Preparate un dialogo e presentatelo alla classe.*

E 7·8·9

10 Un messaggio dalle vacanze

Completa il messaggio con i nomi delle stanze.

camera da letto · bagno · soggiorno · cucina · ingresso

> Ciao cara, finalmente siamo qui, io, Luigi e la piccola Gaia!

> E dimmi, dimmi! Com'è la casa?

> L'appartamento è molto carino, al piano terra e a pochi metri dal mare. È piccolo ma molto comodo. Dormiamo tutti insieme nella _____. Il _____ è molto piccolo ma il _____ è molto grande e comunica con la _____. Qui il mare è bellissimo. Mi manchi. Tua sorella Luisa.

E 10·11
12

11 Casevacanza.it

Mare da favola a un prezzo ottimo
Capo d'Orlando - Messina - Sicilia - Italia

offro bilocale a 3 minuti dalla spiaggia, 4° piano, ascensore, vicino a negozi, stazione e lungomare. Posto auto. Tel. 368 738 76 46

| **Prezzi a partire da:** 240€ a settimana | Casa/Bilocale Posti letto: 2 / N. Camere da letto: 1 |

In famiglia o con gli amici a Bordighera
Bordighera - Imperia - Liguria - Italia

Affitto appartamentino 5 posti letto, TV, lavatrice, ascensore, 1600 euro mensili marzo o aprile. Tel. 0172 - 42 12 79, oppure 338 880 84 80

| **Prezzi a partire da:** 1600€ al mese | Appartamento Posti letto: 5 / N. Camere da letto: 2 |

Forte dei Marmi
Lucca - Toscana - Italia

Da giugno a settembre affitto villino con vista sul mare, grande soggiorno con balcone, 3 camere da letto, doppi servizi, garage e giardino. Tel. 335 – 593 45 67

| **Prezzi a partire da:** 2200€ al mese | Villino Posti letto: 6-8 / N. Camere da letto: 3 |

Perfetto per settimana bianca a Cortina
Cortina – Belluno – Veneto – Italia

In febbraio affitto appartamento situato in zona centrale, ben arredato e con ogni comfort, riscaldamento autonomo, 2/4 posti letto. Prezzo interessante. Tel. 339 403 04 94 ore pasti

| **Prezzi a partire da:** 450€ a settimana | Appartamento Posti letto: 2-4 / N. Camere da letto: 1-2 |

Vista mare in Sardegna
Cala di Platamona - Sassari - Sardegna - Italia

a 50 metri dal mare, appartamento 65mq con ingresso indipendente. Affitto da maggio a ottobre, anche settimane. Tel. 079 - 51 51 02

| **Prezzi a partire da:** 400€ a settimana | Mini appartamento Posti letto: 2 / N. Camere da letto: 1 |

> dal = da + il
> sul = su + il

in albergo

Leggi gli annunci e cerca le parole corrispondenti a...

Appartamento con due locali	Strada vicino al mare	Piccola villa	Due bagni

Sottolinea negli annunci i nomi dei mesi e completa la lista.

GENNAIO	_____	_____	_____	_____	_____
LUGLIO	AGOSTO	_____	_____	NOVEMBRE	DICEMBRE

Scrivi i numeri ordinali nell'ordine giusto.

decimo	nono	ottavo	quarto	quinto	secondo	sesto	settimo	terzo

1° __primo__   2° _____   3° _____   4° _____   5° _____
6° _____   7° _____   8° _____   9° _____   10° _____

12 In vacanza in Italia

Vuoi prendere in affitto un appartamento in Italia. Quale degli annunci del punto **11** *è interessante per te? Discuti con un compagno.*

> ◆ A me piace l'appartamento di Cortina.
> ▲ Perché?
> ◆ Perché ha ogni comfort/è in una zona centrale/mi piace sciare/amo la montagna...

13 In vacanza, ma non in albergo

42 ◖▶

Ascolta la telefonata e rispondi alle domande.

1 Quanti posti letto ci sono nell'appartamento?
2 In quale stanza il proprietario vuole mettere il lettino per la bambina?
3 In che mese vuole andare in vacanza il signor Cesaroni?
4 Quanto viene l'appartamento per due settimane?
5 L'appartamento è libero per tutto il mese di agosto?
6 Ci sono problemi per il parcheggio?

Ascolta ancora la telefonata.
A quale annuncio del punto **11** *è interessato il signor Cesaroni?*

E 13

14 Saluti da...

Anche tu hai preso un appartamento o una casa in affitto. Scrivi una breve lettera ad amici in Italia e descrivi il tuo alloggio.

in albergo

1 | I numeri da 100 in poi

43

100 cento	101 centouno	112 centododici
200 duecento	250 duecentocinquanta	290 duecentonovanta
800 ottocento	900 novecento	933 novecentotrentatré
1.000 mille	2.000 duemila	10.000 diecimila
1.000.000 un milione	2.000.000 due milioni	
1.000.000.000 un miliardo	2.000.000.000 due miliardi	

E inoltre...

5

2 | Qual è il numero seguente?

*Leggete i numeri. Il primo studente legge il numero più piccolo,
gli altri continuano leggendo i numeri in ordine crescente.*

| 601 | 3.564 | 215 | 7.500 | 10.000 | 576 | 8.217 | 39.766 |
| 2.995 | 125 | 1.950 | 735 | 457.925 | 54.150 | 268 | 42.509 |

3 | La data

*Leggi i testi. Come si scrive la data in italiano?
Ci sono delle differenze nella tua lingua?*

Peschici 5/10/2012

Un caro saluto

Paolo

Milano, 1° marzo 2013

Confermo la prenotazione
telefonica di una camera
singola con bagno dal 10
al 12 marzo.
Distinti saluti

Giorgio Calò

- ■ Che giorno è oggi?
- ◆ Martedì.

- ■ Quanti ne abbiamo?
- ◆ È il 21.

> 5/10/2012 = cinque ottobre duemiladodici
>
> 1° marzo 2013 = primo marzo duemilatredici

E 14·15

Per comunicare

Senta, avete una camera per il prossimo fine settimana?

- ■ Quanto viene la camera?
- ▼ 200 euro, colazione compresa.

- ■ Avete una camera libera / il garage?
- ▼ Sì, certo.

Ho un problema: non funziona la lampada / il televisore.

L'appartamento è piccolo ma molto comodo.

È proprio il periodo che interessa a me, dopo ferragosto.

- ■ Grazie mille.
- ▼ Prego, si immagini!

Grammatica

c'è - ci sono

C'è una camera matrimoniale?
Ci sono anche **due** parcheggi.

*C'è si usa con nomi al singolare, **ci sono** con nomi al plurale.*

Le preposizioni di tempo

Affitto un appartamento **da** dicembre **a** marzo.

Da... a... indicano un inizio e una fine.

I numeri ordinali

Il primo, il secondo, il terzo, il quarto, il quinto, il sesto, il settimo, l'ottavo, il nono, il decimo

I numeri ordinali sono aggettivi, perciò concordano in genere e numero con la persona o la cosa cui si riferiscono: la seconda camera, il terzo piano, la quinta settimana...

Gli avverbi interrogativi

Quanto viene la camera?

Quanto si può usare per chiedere il prezzo.

Le preposizioni articolate

+	il	lo	l'	la	i	gli	le
di	del	dello	dell'	della	dei	degli	delle
a	al	allo	all'	alla	ai	agli	alle
da	dal	dallo	dall'	dalla	dai	dagli	dalle
in	nel	nello	nell'	nella	nei	negli	nelle
su	sul	sullo	sull'	sulla	sui	sugli	sulle

*In italiano le preposizioni **di**, **a**, **da**, **in**, **su** si uniscono all'articolo determinativo formando una sola parola.*

Mettiti alla prova. Vai su *www.alma.tv* nella rubrica Linguaquiz e fai il videoquiz "Le preposizioni articolate".

La data

- ■ Quanti ne abbiamo oggi? / Che giorno è oggi?
- ▼ È il **1°** (primo) giugno.

*Per la data si usano i numeri cardinali. Solo con il primo giorno del mese si usa il numero ordinale: **1° giugno** = **il primo giugno**.*

Genova, **3 settembre 2013**
Genova, **3/9/2013**

Per scrivere la data nelle lettere si deve mettere prima la città, poi il giorno, il mese e alla fine l'anno.

VIDEO

1 Prima di guardare il video, osserva i fotogrammi e abbinali alle frasi.
Poi guarda il video e verifica.

in vacanza

5

1 Allora, che cosa preferisci: al prosciutto e formaggio o con la mortadella?

2 Sì!!!

3 Sì, c'è una camera libera?

4 Qui è tutto bellissimo: abbiamo una camera grande, luminosa!

2 Guarda di nuovo il video, poi abbina le parole a Laura o Federico.

camera grande	☐	☐
terzo piano	☐	☐
vasca con l'idromassaggio	☐	☐
panorama	☐	☐
due bagni	☐	☐
piscina	☐	☐
vista sul mare	☐	☐
giardino	☐	☐

> RICORDA
> Spesso in italiano si inizia una frase con **senti** (o **senta** se diamo del Lei): è un modo per attirare l'attenzione o introdurre una domanda.

3 Ora osserva le parole di Federico del punto **2**: quando dice la verità e quando no?

4 Guarda di nuovo la prima parte dell'episodio e leggi le frasi di Federico. Immagina cosa può dire la persona al telefono, che non ascoltiamo.

◆ Pronto? Senta, per quell'offerta sul vostro sito…
■ _____

◆ Sì, c'è una camera libera?
■ _____

◆ Eh, una doppia…
■ _____

◆ Benissimo.
■ _____

◆ Allora prenoto per la settimana dal 10 al 17.
■ _____

◆ Sì, sì. Ma dobbiamo pagare subito?
■ _____

◆ Ah, ok… Ma… è proprio sicuro, solo 245 euro per due persone e per l'intera settimana?
■ _____

◆ Colazione compresa?
■ _____

◆ Ah, va bene. Beh, perfetto. Allora grazie. Buona giornata.
■ _____

 Guarda la videogrammatica dell'episodio

caffè culturale

a. *Completa il testo con le frasi mancanti.*

La mancia, lo scontrino: in Italia funziona così.

LA MANCIA - Siete in un albergo, prendete la chiave alla reception; un ragazzo prende la vostra valigia. Arrivate alla camera, il ragazzo mette la valigia dentro la stanza. _____. Cosa? La mancia, naturalmente. Quanto? Qualche euro può andare bene (dipende anche dalla categoria dell'albergo).
Più tardi, avete fame. Decidete di andare al ristorante. La cameriera è gentile, veloce, brava. Alla fine, mentre pagate, pensate: "Devo lasciare la mancia?"
_____, ma tutti la accettano con piacere. Anche nei bar? Di solito la

mancia è per chi serve ai tavoli, ma a volte nei bar potete trovare un piccolo piatto con delle monete. Potete mettere qualche centesimo, se volete: _____.
LO SCONTRINO - Come sapete, in Italia il caffè o il cappuccino si prendono al bar, in piedi e velocemente. Ma prima di consumare dovete fare lo scontrino alla cassa. Che cos'è lo scontrino? _____ che ricevete al momento di pagare: quindi prima pagate e prendete lo scontrino, poi mettete lo scontrino sul bancone del bar e chiedete cosa volete. Strano? Forse, ma in Italia è una cosa normale.

1 In Italia nessuno chiede la mancia
2 È quel piccolo pezzo di carta
3 Non esce. Aspetta.
4 quelle monete sono per i baristi e le bariste

b. *Nel tuo Paese esiste la mancia? Che differenze ci sono con l'Italia?*

5

Gioco

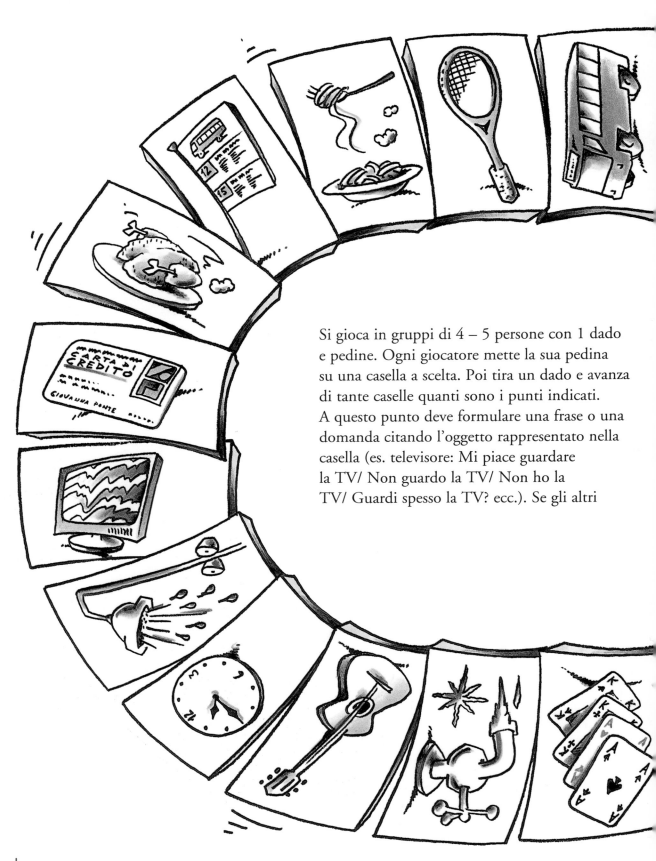

Si gioca in gruppi di 4 – 5 persone con 1 dado e pedine. Ogni giocatore mette la sua pedina su una casella a scelta. Poi tira un dado e avanza di tante caselle quanti sono i punti indicati. A questo punto deve formulare una frase o una domanda citando l'oggetto rappresentato nella casella (es. televisore: Mi piace guardare la TV/ Non guardo la TV/ Non ho la TV/ Guardi spesso la TV? ecc.). Se gli altri

componenti del gruppo decidono che è esatta, prende un punto. Se invece qualcuno giudica che sia sbagliata, lo dice, la corregge e prende il punto. Il primo ad avere il diritto di correggere è il giocatore immediatamente a destra di chi ha tirato il dado. Seguono gli altri. Dopo un tempo stabilito l'insegnante interrompe il gioco. Vince chi ha il maggior numero di punti.

Bilancio

Dopo queste lezioni, che cosa so fare?

	😊	😐	😟
Ordinare da mangiare e da bere in un locale	☐	☐	☐
Parlare del mio tempo libero	☐	☐	☐
Parlare dei miei gusti e preferenze	☐	☐	☐
Prenotare una camera d'albergo	☐	☐	☐
Descrivere un appartamento	☐	☐	☐
Chiedere e dire l'ora	☐	☐	☐
Chiedere e dire la data	☐	☐	☐
Esprimere le mie intenzioni	☐	☐	☐

Cose nuove che ho imparato

10 parole o espressioni che mi sembrano importanti:

Una cosa particolarmente difficile:

Una curiosità sull'Italia e gli italiani:

progetto

Una vacanza in Italia

1. Lavora con un gruppo di compagni e organizzate una vacanza consultando il sito di *Trip Advisor* su www.tripadvisor.it.

2. Decidete dove andare e il tipo di sistemazione (albergo, Bed & Breakfast, ecc.), per quanto tempo, cosa fare, il budget a disposizione, ecc.

3. Dopo la scelta della sistemazione cercate (sempre su *Trip Advisor*) ristoranti e attrazioni (musei, teatri, visite, passeggiate, opere da vedere, ecc.).

4. Fate un programma del viaggio ed esponetelo al resto della classe.

...fai il test a pag. 172

In giro per l'Italia

6

comunicazione

Com'è la città?

Lei adesso gira a destra…

C'è un ristorante qui vicino?

A che ora comincia lo spettacolo?

Mi dispiace…

Grazie mille

Non c'è di che

grammatica

ci e il verbo *andare*

La concordanza degli aggettivi con i sostantivi

Gli aggettivi in *-co/-ca*

Il partitivo (l'articolo indeterminativo al plurale)

molto

Indicazioni di luogo

I verbi *dovere* e *sapere*

c'è un…? / dov'è il…?

Gli interrogativi *quando* e *quale*

L'orario (*a che ora…?*)

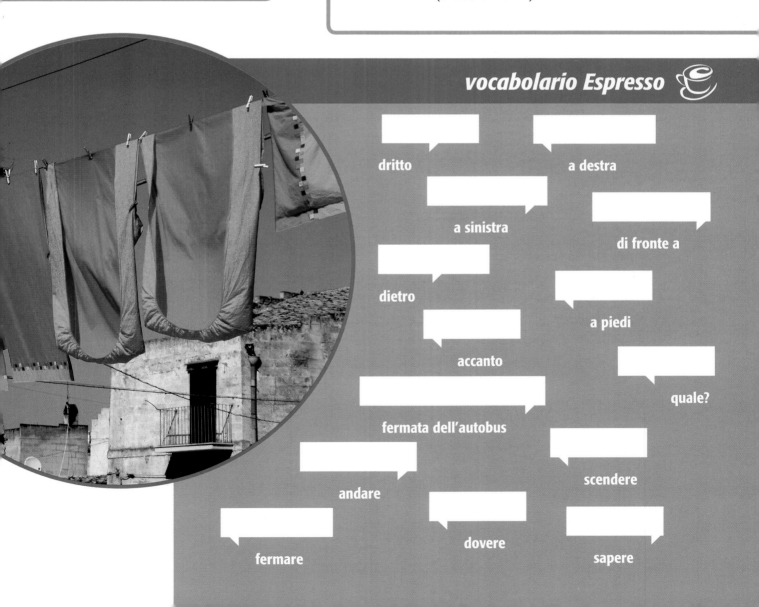

vocabolario Espresso

dritto

a destra

a sinistra

di fronte a

dietro

a piedi

accanto

quale?

fermata dell'autobus

scendere

andare

dovere

sapere

fermare

1 Il Bel Paese

Abbina le foto ai nomi delle città.

a Firenze   **b** Roma   **c** Venezia   **d** Napoli   **e** Milano

Conosci altre città italiane?
C'è una città o un paese che ancora non conosci e che desideri tanto vedere?

2 Fra colleghi

Ascolta il dialogo e completa i due spazi bianchi.   45 ((▶

- ■ Tu vai spesso a Padova, vero?
- ▼ Sì, ___ vado spesso perché ho dei clienti lì.
- ■ Ah, e com'è la città?
- ▼ Ah, a me piace molto. Ci sono tante cose da vedere...
- ■ Ah, sì?
- ▼ Sì, le tre piazze del mercato, l'università, delle chiese famose, dei musei, spesso anche delle mostre interessanti...
- ■ Ah, bene.

- ▼ Sì... e poi ci sono teatri, cinema, negozi eleganti, ristoranti tipici,...
- ■ Perfetto! E conosci anche un albergo tranquillo in centro? Sai, a Pasqua vorrei andare proprio a Padova...
- ▼ Beh, c'è l'albergo Europa, io ___ vado sempre. È molto tranquillo e vicino al centro. Vuoi l'indirizzo?
- ■ Sì, volentieri.

> **ci** vado spesso = vado spesso **a Padova**
> **ci** vado sempre = vado sempre **all'albergo Europa**.

6

in giro per l'Italia

Rileggi il dialogo e completa la tabella.

E 1

maschile singolare	maschile plurale	femminile singolare	femminile plurale
un muse**o** famos**o**	_____ muse**i** famos**i**	una chiesa famosa	_____ chiese famose
un alberg**o** tranquill**o**	**degli** albergh**i** tranquill**i**	un'università important**e**	**delle** università important**i**

3 Cosa c'è in questa città?

Gioca con un compagno. A turno, scegliete una casella e formate una frase al plurale, come nell'esempio. Se la frase è corretta, un giocatore segna la casella con una X, l'altro con una O. Vince chi ha più caselle con il suo segno.

Giocatore A: Cosa c'è in questa città?

Giocatore B: Ci sono dei palazzi antichi.

singolare	plurale
anti**co**	anti**chi**
tipi**ca**	tipi**che**

palazzo antico	castello famoso	torre famosa	museo interessante
quartiere antico	chiesa antica	teatro importante	edificio moderno
trattoria tipica	mostra interessante	piazza famosa	ristorante tipico

4 Cosa c'è a Bologna?

Osserva le tre foto di Bologna e indica le cose che sicuramente puoi trovare in questa città.

- ☐ dei palazzi antichi
- ☐ un teatro importante
- ☐ delle torri famose
- ☐ un castello famoso
- ☐ dei negozi eleganti
- ☐ una piazza importante
- ☐ delle mostre interessanti
- ☐ dei ristoranti tipici
- ☐ una chiesa antica
- ☐ degli spazi verdi

E 2·3

5 Cose da vedere e da fare a Bologna

Leggi i messaggi del forum e completa la tabella.

Autore: Felix il gatto
Ciao! Sono a Bologna per un master e non conosco bene la città: cosa c'è da vedere? Ok, le due Torri, e poi? Dove posso andare la sera?

Autore: Lulu82
Bologna è una città molto bella e vivace! Devi andare a Piazza Maggiore, magari prendi un caffè in un bar! Ma è bello anche passeggiare sotto i portici per guardare le vetrine dei negozi o mangiare in una delle tante trattorie tipiche!

Autore: Fede
Caro Felix, a Bologna puoi fare molte cose: ci sono sempre mostre interessanti, musei, chiese…
A me piace anche andare al cinema o a teatro, per esempio.
Ci sono anche molti parchi dove puoi leggere, fare jogging o passare un po' di tempo in relax.
Importante: in Piazza Maggiore c'è la basilica di San Petronio!

Autore: Lulu82
Hai ragione Fede! Anche a me piace il teatro! Inoltre, qualche volta prendo il treno per andare per esempio a Ferrara, o a Modena, o in molti altri posti nei dintorni!

Autore del messaggio	Cosa fare a Bologna
Felix il gatto	Vedere le due Torri
Lulu82	_____ _____ Passeggiare sotto i portici _____ _____
Fede	Vedere mostre, _____ _____

Ora hai nuovi elementi per completare la lista del punto **4**
e dare un nome alle tre fotografie:
foto 1: _____
foto 2: _____
foto 3: _____

> È una città **molto bella** e vivace.
> Ci sono anche **molti parchi**.

E 4·5·6

6 La mia città

Scrivi una mail dove presenti la tua città a un amico italiano: cosa è possibile visitare o fare?

> ...è una città...
> C'è un / una...
> Ci sono dei / delle / degli / tanti / tante...

in giro per l'Italia

7 All'ufficio informazioni

Ascolta il dialogo e rispondi alla domanda.

Quale autobus deve prendere il turista per andare in centro?

☐ Il 12   ☐ Il 67   ☐ Il 32

Leggi il dialogo e completa la tabella dei verbi dovere *e* sapere.

■ Avanti!

▼ Sì, è il mio turno.

■ Dica pure.

▼ Buongiorno. Senta, io devo andare in centro ma non so quale autobus prendere…

■ Il 12 e il 32 vanno in centro: il 12 ferma qui, davanti alla stazione. Ma può prendere anche il 67, e molti altri.

▼ Bene… grazie.

■ Ma dove deve andare, di preciso?

▼ Un amico mi aspetta davanti alle due torri…

■ Ah, allora deve prendere il 32 e scendere… alla quarta fermata.

▼ Grazie mille!

> andare in centro
> andare al duomo
> scendere alla… fermata

	dovere	sapere
(io)	_____	_____
(tu)	devi	sai
(lui, lei, Lei)	_____	sa
(noi)	dobbiamo	sappiamo
(voi)	dovete	sapete
(loro)	devono	sanno

Ora rileggi il dialogo e completa le frasi con le preposizioni. Poi completa il riquadro qui sotto.

Il 12 e il 32 vanno _____ centro.

Il 12 ferma davanti _____ stazione.

Un amico mi aspetta davanti _____ due torri.

Il turista deve scendere _____ quarta o _____ quinta fermata.

preposizione a	
+ il	al
+ la	_____
+ l'	all'
+ lo	allo
+ i	ai
+gli	agli
+ le	_____

8 Dove devo scendere?

In coppia, ripetete il dialogo del punto **7** *sostituendo a* stazione *e a* due Torri *i seguenti posti:* duomo, museo archeologico, teatro comunale, chiesa di San Giovanni, posta centrale, biblioteca comunale, università.
Variate anche il numero dell'autobus e la fermata.

6

9 Alla reception

Ascolta il dialogo e osserva le immagini: segna le indicazioni e gli elementi presenti.

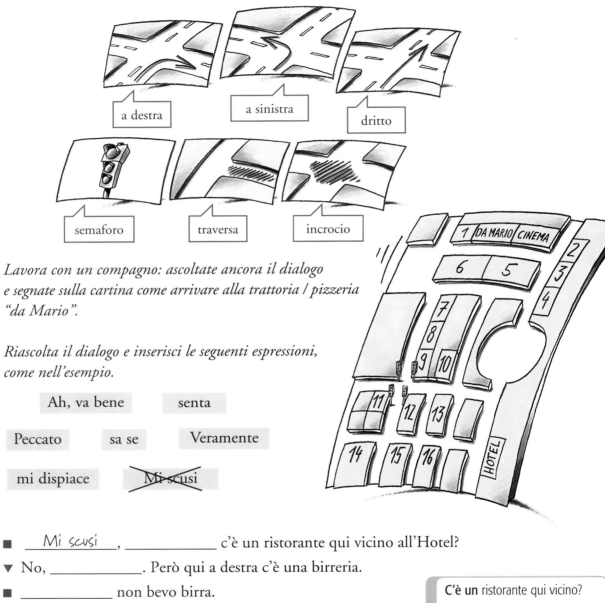

a destra

a sinistra

dritto

semaforo

traversa

incrocio

Lavora con un compagno: ascoltate ancora il dialogo e segnate sulla cartina come arrivare alla trattoria / pizzeria "da Mario".

Riascolta il dialogo e inserisci le seguenti espressioni, come nell'esempio.

Ah, va bene   senta

Peccato   sa se   Veramente

mi dispiace   ~~Mi scusi~~

■ ___Mi scusi___, _____ c'è un ristorante qui vicino all'Hotel?

▼ No, _____. Però qui a destra c'è una birreria.

■ _____ non bevo birra.

▼ Ah, capisco. _____, perché è un locale molto bello.

■ Grazie lo stesso.

▼ Ah, _____, se vuole c'è la trattoria Da Mario, su una traversa della nostra strada. Fa cucina tipica.

■ _____. E dov'è?

▼ Allora, lei esce dall'albergo e va subito a destra. Poi continua dritto, attraversa la piazza e poi alla prima… no, alla seconda traversa gira a sinistra e lì, proprio accanto al cinema, c'è la pizzeria.

> C'è un ristorante qui vicino?
> Dov'è il ristorante?

E 7·8·9

10 Dov'è ...?

A legge la descrizione del percorso; B la segue sulla cartina nella pagina precedente e cerca di scoprire il numero della banca. Poi B legge la seconda descrizione ed A cerca di scoprire sulla cartina il numero della stazione.

> **A** Lei esce dall'albergo, va dritto fino al terzo incrocio, poi gira a destra, va dritto fino a un semaforo, poi gira a sinistra e subito dopo c'è la Cassa di Risparmio.
>
> **B** Lei esce di qui, va subito a destra, arriva fino al primo incrocio e gira a sinistra, va avanti e al primo incrocio gira a destra e lì c'è la stazione.

E 10·11
12

11 Dov'è l'ufficio postale?

La chiesa è	di fronte al supermercato.
L'ufficio postale è	accanto alla banca.
Il distributore è	davanti alla scuola.
Il parcheggio è	all'angolo.
Il bar è	fra il museo e il teatro.
La fermata dell'autobus è	dietro la stazione.

'ALMA.tv

Mettiti alla prova. Vai su *www.alma.tv*
nella rubrica Linguaquiz e fai il videoquiz
"La concordanza".

6

in giro per l'Italia

12 Scusi…

A *guarda questa pagina.* B *la pagina 83. A turno, si domandano informazioni sui posti che cercano.*

A Sei davanti alla stazione e cerchi
- **1** un supermercato
- **2** una libreria
- **3** l'hotel Europa
- **4** il cinema Lux

> ■ Scusi, c'è un/una… qui vicino?
> Scusi, sa dov'è il/la/l'…?
> ▼ Sì, Lei va…, gira…

13 Una visita a Padova

48 ((▶

Il signore del dialogo del punto **2** *a pagina 76 è a Padova, in largo Europa (A).*
Vuole andare al Palazzo della Ragione e chiede informazioni a una passante.
Ascolta il dialogo e segna con una X la risposta esatta. Guarda la cartina della prossima pagina.

Il Palazzo della Ragione	☐ è molto vicino a Largo Europa.
	☐ è un po' lontano da Largo Europa.
Il turista va	☐ in autobus.
	☐ a piedi.
Il turista deve	☐ attraversare una piazza e superare un incrocio
	☐ attraversare due piazze e superare un incrocio.
Il turista deve arrivare	☐ al punto B.
	☐ al punto C.

Ascolta ancora il dialogo e collega le frasi del turista con quelle dei due passanti.

1 Sa dov'è il Palazzo della Ragione?
2 Oh, scusi tanto.
3 La ringrazio infinitamente.

a Non c'è di che.
b No, mi dispiace, non sono di qui.
c Prego, si figuri.

E 13

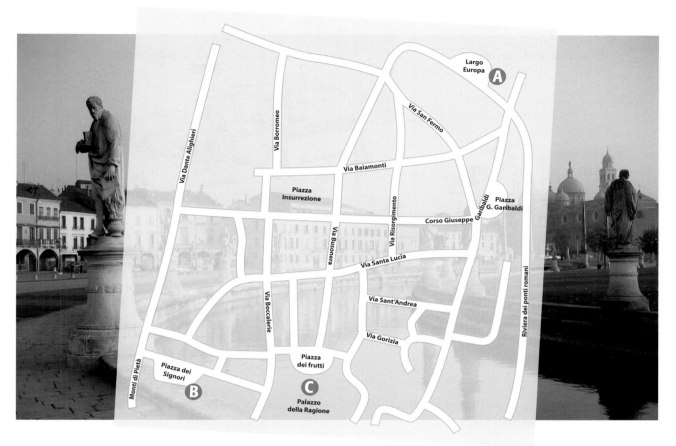

12 Scusi...

B *guarda questa pagina.* A *la pagina 82. A turno si domandano informazioni sui posti che cercano.*

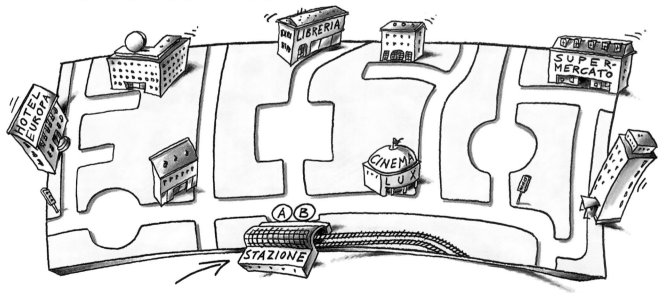

B Sei davanti alla stazione e cerchi

1 una farmacia   3 l'ospedale

2 una banca   4 l'ufficio del turismo

■ Scusi, c'è un/una... qui vicino?
Scusi, sa dov'è il/la/l'...?

▼ Sì, Lei va..., gira...

E inoltre...

6

1 A che ora?

Collega i dialoghi ai disegni.

1 ◻ ■Scusi, a che ora parte il prossimo autobus per Montecassino?
▼All'una e mezza.

2 ◻ ■Quando arriva il treno da Perugia?
▼Alle 18.32.

3 ◻ ■A che ora comincia l'ultimo spettacolo?
▼Alle 22.15.

4 ◻ ■A che ora chiude il museo?
▼A mezzogiorno.

> A che ora?
> A mezzogiorno / a mezzanotte
> All'una
> Alle 18.30

2 E da voi?

In piccoli gruppi confrontate questi orari con quelli della vostra città. Ci sono differenze?

FARMACÌA
dal lunedì al venerdì
9:00 - 12.30
15:00 - 19.30
SABATO CHIUSO

ORARIO DI LAVORO
DAL LUNEDÌ AL SABATO
9:00 - 12.30   15:00 - 19.30
DOMENICA CHIUSO

GYM CLUB
DAL LUNEDÌ AL VENERDÌ
8.30 - 22.00
SABATO
9.00 - 18.00
DOMENICA
9.00 - 14.00
ORARIO

MODÀ
ORARIO NEGOZIO
APERTO DALLE:
8:30 - 12.30
16:00 - 20.00

E 14·15

comunicazione e grammatica

Per comunicare

- ■ Com'è la città?
- ▼ Ci sono tante cose da vedere: delle chiese famose, dei musei, delle mostre interessanti…
- ■ E a quale fermata devo scendere?
- ▼ Alla prima / seconda / terza…

- ■ Dov'è la fermata dell'autobus?
- ▼ In via Roma - Di fronte al supermercato…

- ■ C'è un ristorante / una banca… (qui vicino)?
- ▼ Sì, Lei adesso gira a destra / a sinistra / continua dritto…

- ■ A che ora comincia lo spettacolo?
- ▼ A mezzogiorno - Alle due.
- ■ Grazie mille.
- ▼ Non c'è di che.

Grammatica

Il partitivo (l'articolo indeterminativo al plurale)

A Padova ci sono **dei** musei, **degli** alberghi, **delle** chiese...

*Il plurale dell'articolo indeterminativo **un**, **uno**, ecc. si fa con la preposizione **di** + gli articoli determinativi (il, lo, ecc.). Il partitivo indica una quantità indefinita.*

ci e il verbo andare

- ■ Vai spesso **a Padova**?
- ▼ Sì, **ci** vado abbastanza spesso.

*Quando è usato con il verbo **andare**, **ci** sostituisce il luogo (in questo caso: a Padova).*

La concordanza degli aggettivi con i sostantivi

	singolare	plurale
maschile	un museo famos**o**/grand**e**	dei musei famos**i**/grand**i**
femminile	una chiesa famos**a**/grand**e**	delle chiese famos**e**/grand**i**

*Gli aggettivi in **-o** (in **-a** al femminile) hanno la desinenza **-i** al plurale (in **-e** al femminile). Gli aggettivi in **-e** hanno la desinenza **-i** sia al maschile che al femminile.*

Gli aggettivi in -co/-ca

chiesa anti**ca**	chiese anti**che**
trattoria tipi**ca**	trattorie tipi**che**
palazzo anti**co**	palazzi anti**chi**
ristorante ti**pico**	ristoranti tipi**ci**

*Gli aggettivi in **-ca** hanno il plurale in **-che**. Gli aggettivi in **-co** hanno il plurale in **-chi** se hanno l'accento sulla penultima sillaba e in **-ci** se hanno l'accento sulla terz'ultima sillaba.*

molto

La città è **molto** vivace.
A me piace **molto**.
Ci sono **molti** posti da vedere.
Ci sono **molte** belle piazze.

***Molto** avverbio (in combinazione con un aggettivo o un verbo) è invariabile.*
***Molto** aggettivo (cioè quando viene prima di un nome) concorda in numero e genere con il nome a cui si riferisce.*

C' è un...? - Dov'è il...?

C'è un ristorante qui vicino?

Dov'è il ristorante "Al sole"?

__C'è un/una/uno…?__ si usa per chiedere se vicino a chi parla si trova una certa cosa.
__Dov'è il/la…?__ si usa per chiedere dove si trova qualcosa.

Gli interrogativi

Quando arriva il treno da Perugia?
A **quale** fermata devo scendere?

*L'interrogativo **quale** può stare anche davanti a un sostantivo.*

6

VIDEO

la seconda a destra

6

1 Prima di guardare l'episodio, osserva i fotogrammi e inserisci le frasi nella tabella. Attenzione, alcune frasi possono andare bene in più colonne. Poi guarda e verifica.

situazione A	situazione B	situazione C

1 Senta, scusi: sa dov'è un ristorante qui vicino?

2 Ma sei sicuro? Dove siamo?

3 Allora, Vale, adesso dove andiamo?

4 No, qui è tutto vicino anche a piedi.

5 Fede! Ma dove vai, aspetta!

6 Non può sbagliare, il ristorante si chiama "La cantina di Bacco".

7 Vedo che sulla strada c'è anche una bella chiesa del '300.

2 Guarda l'episodio e indica se le frasi sono vere o false.

	vero	falso
1 Il museo civico ha un orario continuato.	☐	☐
2 A Matteo non piace usare le mappe.	☐	☐
3 Matteo e Laura hanno fame.	☐	☐
4 Matteo e Federico sbagliano strada una volta.	☐	☐
5 Federico non sa usare bene il tablet.	☐	☐
6 Matteo e Federico vogliono visitare una chiesa.	☐	☐
7 Matteo non capisce le indicazioni del passante.	☐	☐

3 Nel dialogo i protagonisti parlano di monumenti o luoghi da visitare. Abbina le foto alle parole.

 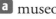

a museo   **b** castello   **c** chiesa

1 ☐   **2** ☐   **3** ☐

 VIDEO

4 Riordina il dialogo tra Valentina e Laura. Poi guarda di nuovo la prima parte del video per la verifica.

n° _1_ ■ Allora, Vale, adesso dove andiamo?

n°___ ▼ No, qui è tutto vicino anche a piedi. Allora, noi siamo qui *nel/nella* piazza… Andiamo dritti per questa strada e poi prendiamo la terza… Sì, la terza a sinistra e lì *c'è/ci sono* il museo. Però vedo che sulla strada c'è anche una bella chiesa del '300.

n°___ ▼ Beh, il museo civico secondo me è interessante… Ci sono *degli/dei* quadri famosi e...

n°___ ■ Va bene, dai! È lontano?

n°___ ■ Benissimo! *Ci/A* andiamo di sicuro, allora!

n°___ ▼ Ma certo! Il museo da mezzogiorno e mezza *a/alle* tre è chiuso, possiamo mangiare lì vicino, la prima a sinistra è una via con tutti ristoranti e trattorie che fanno piatti locali…

n°___ ■ Sì ok: il museo, la chiesa del '300, ma *ci sono/ci vado* anche delle trattorie *tipici/tipiche*? Perché io voglio anche mangiare, eh…

5 Che strada devono fare i due amici per andare al ristorante "La cantina di Bacco"? Guarda il video da 3'14" a 3'35" e indica sulla mappa il percorso secondo le indicazioni del passante.

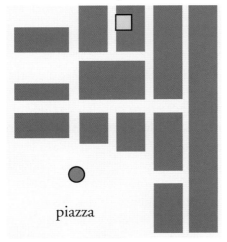

piazza

● Matteo e Federico

☐ Ristorante "La cantina di Bacco"

> **RICORDA**
> In Italia c'è una grande varietà gastronomica, ed è molto facile trovare ristoranti o trattorie "tipiche" dove è possibile mangiare "piatti locali".

 Guarda la videogrammatica dell'episodio

6

a. *Una strada, molti nomi…! Guarda le fotografie e abbina i nomi che mancano.*

vicolo   piazza

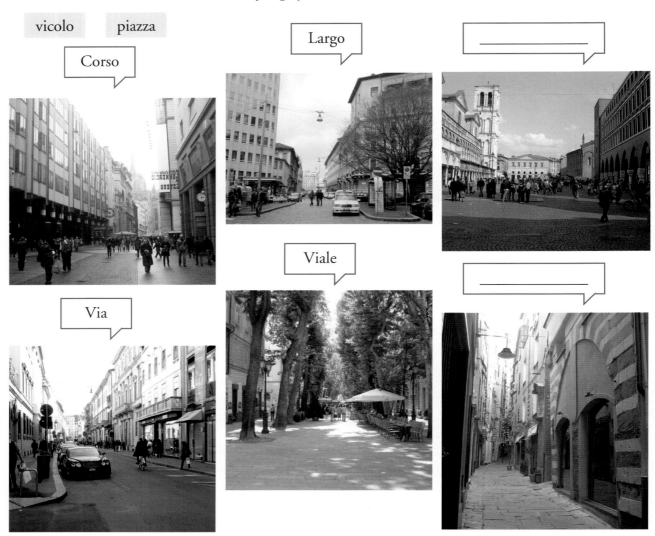

Corso

Largo

Viale

Via

b. Mettere in piazza, fare piazza pulita: *sono due modi di dire italiani. Che significato hanno, secondo te? Fai delle ipotesi e poi leggi il testo che segue.*

La piazza

Dai tempi più antichi ad oggi, in Italia la piazza non è solo uno spazio fisico, ma anche sociale, il vero cuore della città: le persone infatti vanno in piazza per incontrare gli amici, per un appuntamento, per bere un caffè, per chiacchierare; ma anche per protestare o festeggiare, vendere e comprare. Non esiste una città italiana senza una piazza importante: dal forum degli antichi Romani alla piazza come centro politico e religioso del Rinascimento, l'Italia ha una vera tradizione culturale legata alla piazza; non a caso la parola "piazza" è presente in molti modi di dire, come per esempio: "fare piazza pulita" (eliminare ogni elemento di disturbo) o "mettere in piazza" (rivelare a tutti un fatto privato e riservato).

Andiamo in vacanza!

comunicazione

Cosa hai fatto nelle vacanze?
Ho visitato Firenze due anni fa.
Siamo stati in spiaggia tutto il giorno.
Com'è il tempo oggi?
Che caldo!

grammatica

Il passato prossimo
Il participio passato regolare e irregolare
Il superlativo assoluto
tutto il / tutti i
La doppia negazione
qualche

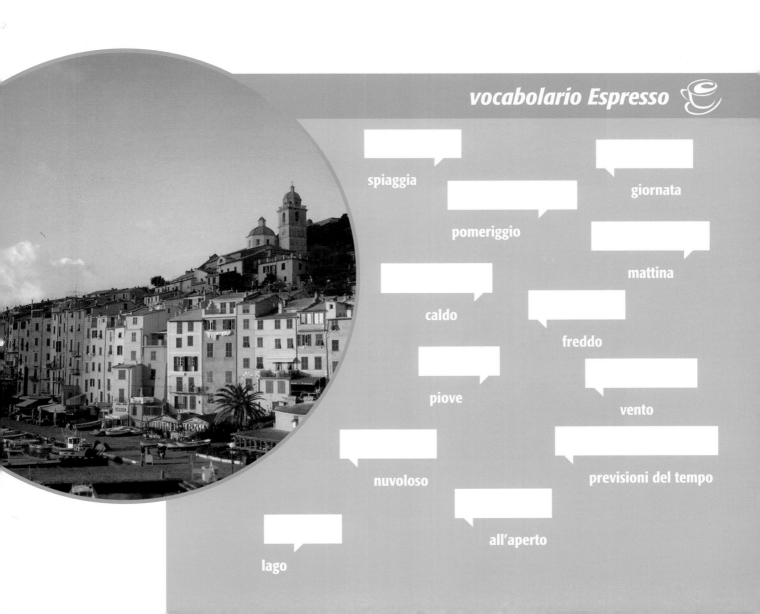

vocabolario Espresso

spiaggia

giornata

pomeriggio

mattina

caldo

freddo

piove

vento

nuvoloso

previsioni del tempo

all'aperto

lago

andiamo in vacanza!

1 Tante idee per partire

Guarda le foto. Dove vorresti andare?

andiamo in vacanza!

Abbina ogni testo ad una delle foto della pagina precedente, come nell'esempio.

a **2** **LAGO DI GARDA E ARENA DI VERONA** – Sei notti in Hotel★★★ con piscina a Bardolino. Escursioni sul lago di Garda, visita guidata a Verona e spettacolo all'Arena compresi nel prezzo.

b **SATURNIA** – Una settimana di puro relax in un centro benessere di lusso, presso le terme più famose d'Italia. Massaggi, sauna e piscine sempre a disposizione.

c **ASSISI** – Settimana di meditazione in convento con passeggiate in montagna e nei dintorni. Pensione completa insieme ai monaci.

d **IL MEDITERRANEO IN NAVE** – Sette giorni di divertimento in crociera nel Mediterraneo, un mare pieno di storia e luoghi incantati. Animazione con concerti, serate di ballo e giochi.

e **LOMBARDIA IN BICI** – da Milano a Milano con soste e visite guidate a Pavia, Vigevano, Cremona e Parma. Tappe giornaliere di circa 40 km con serate gastronomiche e notti in campeggio.

f **CORVARA (BZ)** – Alloggio in bed&breakfast a gestione familiare. Escursioni sulle Dolomiti con guida alpina e pranzi con cucina tipica locale nei migliori rifugi di montagna.

Qual è la vacanza ideale per una persona che...

☐ desidera fare qualcosa per il proprio corpo?
☐ va volentieri in montagna e ama la cucina tradizionale?
☐ è stressata, odia i posti dove c'è molta gente e ama il silenzio e la natura?
☐ ama il mare e il divertimento?
☐ ama l'arte e l'opera, ma desidera anche passare alcuni giorni in assoluto relax?
☐ è molto sportiva e ama la buona cucina?

2 Una settimana a...

Quale di queste offerte preferisci per una vacanza di una settimana? Perché?

andiamo in vacanza!

3 In vacanza

Leggi le mail e completa le risposte alle domande.

Da: daniel8080@yahoo.it **A:** pippu@miamail.it

Ciao Giuseppe,
sono arrivata ieri a Bolzano. È proprio bellissima! Oggi ho passato
una giornata molto intensa e non ho avuto un momento libero:
prima ho visitato il museo di Ötzi, poi ho pranzato in un ristorante
tipico. Il pomeriggio ho camminato per le strade di Merano e dopo
cena sono andata al cinema. Adesso sono veramente stanca, vado
subito a letto. Domani voglio andare a vedere le Dolomiti!
Ciao. Un bacione.
Daniela

Da: dvdrstv@postaita.it **A:** lorenzosilvestre94@gmail.com

Ciao Lorenzo.
Sono a Stromboli con Marina per il fine settimana. Non ho
telefonato perché qui non c'è linea telefonica. È un'isola bellissima!
☺ Ieri sono salito sul cratere e la sera ho dormito all'aperto.
Freddooooooooo! Ma è stato uno spettacolo indimenticabile.
Stamattina ho passato tutto il tempo in spiaggia e il pomeriggio ho
fatto un giro in barca. Ho passato due splendide giornate! Stasera
torno a Messina. Ci vediamo martedì all'Università!
Davide

tutto il tempo

pass**are**	➙	ho pass**ato**
av**ere**	➙	ho av**uto**
dorm**ire**	➙	ho dorm**ito**
fare	➙	ho fatto
essere	➙	sono stato/-a
andare	➙	sono andato/-a

Che cosa scrive Daniela?

_____ _____ ieri a Bolzano

_____ _____ una giornata intensa

non __ _____ un momento libero

_____ _____ il museo di Ötzi

_____ _____ in un ristorante tipico

_____ _____ per le strade

_____ _____ al cinema

Che cosa scrive Davide?

_____ _____ perché qui non c'è linea

_____ _____ sul cratere

_____ _____ all'aperto

_____ _____ uno spettacolo

_____ _____ tutto il tempo in spiaggia

_____ _____ un giro in barca

_____ _____ due splendide giornate

7

andiamo in vacanza!

4 Il passato prossimo

Completa la tabella del passato prossimo con i verbi delle mail, come nell'esempio.

	ausiliare *avere*			ausiliare *essere*		
I - are	passare	→ ho	passato			
	_____	→ ____	_____	arrivare	→ sono	arrivato/a
	_____	→ ____	_____	_____	→ ____	_____
	_____	→ ____	_____			
	_____	→ ____	_____			
II - ere	_____	→ ____	_____			
III - ire	_____	→ ____	_____	_____	→ ____	_____
irregolari	_____	→ ____	_____	_____	→ ____	_____

E 1·2

7

5 Che cosa hanno fatto?

Giacomo e Serena hanno passato una breve vacanza in due posti diversi.
Ognuno racconta quello che ha fatto (per il passato prossimo di questi verbi, vedi la lista a pag. 92).

Giacomo

essere al lago di Garda · cercare un campeggio · montare la tenda · fare surf · mangiare una pizza · fare un giro in bicicletta · tornare al campeggio · fare la doccia · preparare qualcosa da mangiare · andare in discoteca

Serena

essere a Venezia · cercare un albergo · andare in vaporetto a Piazza S. Marco · visitare la basilica · fare fotografie · mangiare qualcosa in un bar · dormire un poco · andare a vedere una mostra · incontrare un'amica · cenare insieme a lei

Giacomo racconta: Io sono stato al lago di Garda. Prima... poi...
a mezzogiorno... il pomeriggio... la sera...
Serena racconta: Io invece...

Ora racconta cosa hanno fatto Giacomo e Serena.

Lui è stato al lago di Garda... Lei...

E 3

andiamo in vacanza!

6 Bingo

Chi ha svolto una di queste attività la scorsa estate? Potete fare solo una domanda a persona.
Quando trovate qualcuno, scrivete il suo nome nella casella corrispondente all'attività svolta.
Vince il primo che riempie 4 caselle in diagonale, in orizzontale o in verticale.

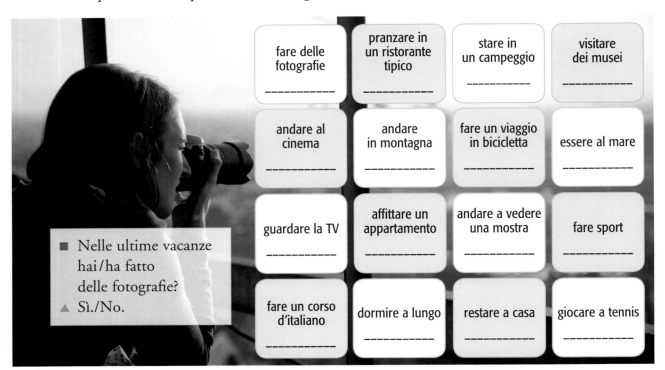

fare delle fotografie	pranzare in un ristorante tipico	stare in un campeggio	visitare dei musei
andare al cinema	andare in montagna	fare un viaggio in bicicletta	essere al mare
guardare la TV	affittare un appartamento	andare a vedere una mostra	fare sport
fare un corso d'italiano	dormire a lungo	restare a casa	giocare a tennis

■ Nelle ultime vacanze hai/ha fatto delle fotografie?
▲ Sì./No.

7 Saluti da ...

Sei fuori città per il fine settimana. Il secondo giorno scrivi una mail ad un amico. Racconti cosa hai fatto e cosa vuoi fare il giorno dopo. Usa le seguenti espressioni di tempo.

Ieri prima... poi...   ... e domani...   ... e poi il pomeriggio...

Stamattina...   Stasera...

8 E domenica ...?

52 ((▶

Ascolta il dialogo e scegli la risposta giusta.

Cosa ha fatto lui domenica?

☐ È andato al cinema.
☐ È andato al lago.
☐ È andato al ristorante.

Cosa ha fatto lei domenica?

☐ È andata al cinema.
☐ È andata a fare una passeggiata.
☐ È andata al lago.

Leggi e <u>sottolinea</u> tutti i verbi al passato prossimo, come nell'esempio.

■ E allora, <u>**siete tornati**</u> al lago anche domenica?

▼ Beh, chiaro! Che domanda!

■ E siete partiti presto come al solito, eh?

▼ Sì, però siamo arrivati lì verso le nove. Così abbiamo fatto subito il bagno e abbiamo preso il sole tutto il giorno. Più tardi abbiamo fatto anche un giro in gommone. È stata una giornata molto bella! E tu che cosa hai fatto?

■ Mah, niente di particolare perché sono rimasta a casa quasi tutto il giorno: la mattina ho fatto colazione tardi e poi ho messo in ordine la casa. Il pomeriggio ho letto un po' e poi ho visto un film alla TV. Dopo per fortuna è venuto Luca, con lui ho fatto una passeggiata in centro.

▼ Ah, ecco.

■ Sì, ma brevissima...

> domenica = domenica scorsa / prossima
> la domenica = ogni domenica

> una giornata **molto bella**
> una **brevissima** passeggiata

E 6

9 Il passato prossimo irregolare

Completa lo schema con i verbi del dialogo.

prendere	ho _____
_____	ho letto
mettere	ho _____

_____	ho visto
rimanere	sono _____
_____	è venuto/-a

E 7·8

10 Che cosa hanno fatto?

A riempie le caselle verdi e B *quelle bianche, scrivendo delle frasi con i verbi della lista (al passato prossimo).* A *fa una domanda, es.: Cosa ha fatto Giorgia la mattina?* B *risponde con la sua frase, es.: Ha letto il giornale.* A *scrive la risposta nella sua casella. Poi è il turno di* B*, che fa una domanda, ecc. Alla fine* A *e* B *controllano insieme cosa hanno scritto e correggono.*

giocare   fare   mettere   rimanere   visitare   prendere

leggere   mangiare   vedere   andare   essere

E 9

	Mauro	Giorgia	Vittorio	Lucia
la mattina				
il pomeriggio				
la sera				

11 Quando è stata l'ultima volta che...?

Intervista uno o più compagni.

fare una passeggiata
vedere un film
andare a sciare
parlare al telefono
prendere un gelato
leggere un libro
fare una festa
dormire fino a tardi
mettere in ordine l'appartamento
rimanere a casa tutto il giorno

il mese scorso

due settimane fa

prima della lezione

l'altro ieri

stamattina

ieri

in gennaio

giovedì scorso

la settimana scorsa

E 10·11

12 Una settimana in Toscana 53

Ascolta il dialogo e segna sulla cartina l'itinerario seguito da Piero durante le sue vacanze in Toscana.

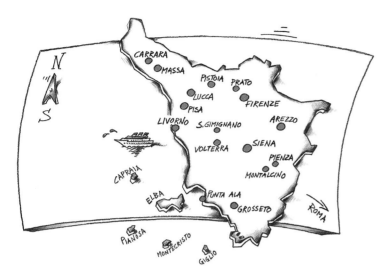

Riascolta il dialogo. In quale città Piero è stato ospite di un amico? Dove è stato in campeggio? Dove ha dormito in una pensione?

La città di Pio II, la città con le torri, la città del Brunello, la città del Palio, la città medioevale con un passato etrusco. Qual è il nome di queste città?

1 Fa freddo!

Cosa dicono? Abbina i disegni alle frasi.

1 Fa caldo! **2** C'è vento! **3** Fa freddo! **4** Piove!

2 Che tempo fa? 54

Ascolta e abbina i nomi alle immagini.

1 Flavia
2 Piera

E 12·13
14

Sottolinea nel dialogo tutte le espressioni che si riferiscono al tempo.
Poi confronta con un compagno.

■ Pronto?

▼ Ciao Piera, sono Flavia, come stai?

■ Benissimo, sai, sono appena tornata dal bosco.

▼ Sei di nuovo andata a funghi?

■ Eh chiaro, come sempre...

▼ Allora il tempo è bello.

■ No, a dire il vero no, anzi è abbastanza brutto, la sera qua fa già un po' freddo. Ieri poi c'è stato un temporale che...

▼ E con questo tempo vai a funghi?

■ Beh, ci sono ancora delle nuvole, ma adesso non piove più. E da te che tempo fa? Bello, scommetto.

▼ Bellissimo. C'è il sole, fa caldo, oggi ho fatto addirittura il bagno...

> delle nuvole = qualche nuvola
> dei temporali = qualche temporale

> non piove più

3 | Previsioni del tempo

Confronta il dialogo con le previsioni del tempo. Chi delle due amiche abita al nord? Chi al sud?

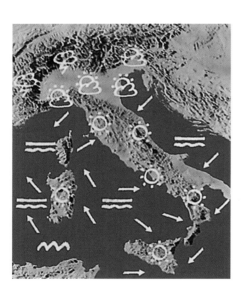

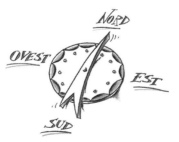

Nubi al Nord, qualche temporale sulle Alpi, sole sul resto d'Italia. Temperatura: sopra la media. Caldo quasi ovunque. Venti: deboli al largo. Brezze sulle coste al Centrosud. Mari: quasi calmi.

4 | E com'è oggi il tempo da te?

Scegli che tempo fa oggi. Poi gira per la classe e chiedi com'è il tempo ai tuoi compagni.

E 15·16

E inoltre...

7

comunicazione e grammatica

Per comunicare

- ■ Che cosa hai/ha fatto stamattina/ieri/domenica?
- ▼ Ho fatto sport - Ho fatto una passeggiata - Sono andato/-a al cinema - Sono rimasto/-a a casa…

- ■ E cosa hai/ha fatto nelle (ultime) vacanze?
- ▼ Ho fatto molte fotografie - Sono stato/-a al mare - Sono andato/-a in montagna…

- ■ Quando è stata l'ultima volta che hai letto un libro?
- ▼ L'altro ieri - Giovedì scorso - Due settimane fa.

- ■ Che tempo fa da te? - Com'è il tempo oggi?
- ▼ È bello - È brutto - Fa caldo - Fa freddo - Piove - C'è vento/qualche nuvola/un temporale/il sole…

Che caldo! - Che freddo! - Che pioggia! - Che vento!

Grammatica

Il passato prossimo

Sono arrivato a Bolzano e **ho visitato** il museo.

(andare)	Sono and**ato/-a** a Milano.
(avere)	Ho av**uto** molto da fare.
(dormire)	Ho dorm**ito** tutto il giorno.

Ho pranzato in un ristorante tipico.

Dopo cena **sono andato** al cinema.
Davide **è** andat**o** a Stromboli
Daniela **è** andat**a** a Bolzano.
Davide e Daniela **sono** andat**i** in vacanza.
Daniela e Maria **sono** andat**e** al lavoro.
Abbiamo fatto colazione tardi.

*Il passato prossimo si forma con il verbo **avere** o **essere** + il **participio passato**.*
*I verbi in -**are** hanno il participio passato in -**ato**.*
*I verbi in -**ere** hanno il participio passato in -**uto**.*
*I verbi in -**ire** hanno il participio passato in -**ito**.*
*Per la maggior parte dei verbi si usa **avere** per formare il passato prossimo.*
*Per molti verbi di movimento si usa invece **essere**.*
*Quando si usa il verbo **essere** per il passato prossimo, il participio concorda in genere e numero con il soggetto (-**o**, -**i**, -**a**, -**e**).*

*Con il verbo **avere**, invece, il participio è invariabile.*

Alcuni participi irregolari

essere →	stato/stata	*fare* →	fatto	*prendere* →	preso
rimanere →	rimasto/rimasta	*leggere* →	letto	*vedere* →	visto
venire →	venuto/venuta	*mettere* →	messo		

'ALMA.tv

Mettiti alla prova. Vai su *www.alma.tv* nella rubrica Linguaquiz e fai il videoquiz "Il passato prossimo".

tutto il - tutti i

Ho lavorato **tutto il** giorno.
Ho lavorato **tutti i** giorni.

*In combinazione con un nome, **tutto** è sempre seguito dall'articolo determinativo.*

La doppia negazione

Non piove **più**.
Non vado **mai** a ballare.
Non ho fatto **niente** di particolare.

In italiano la doppia negazione non è affermativa.

Il superlativo assoluto

Questo albergo è **molto** tranquillo/tranquillissimo.

*Il **superlativo assoluto** indica un grado elevato di qualità. Si forma con **molto** (invariabile!) + l'aggettivo o aggiungendo il suffisso -**issimo/a/e/i** all'aggettivo.*

qualche

qualche temporal**e**
qualche nuvol**a**

__Qualche__ significa alcuni/alcune ed è invariabile. Il nome seguente è sempre al singolare.

7

cos'hai fatto tutto il giorno?

7

1 Prima di guardare il video, osserva i fotogrammi. Come hanno passato la domenica Laura e Valentina?

2 Forma le frasi al passato prossimo e abbina ogni frase ad un fotogramma del punto **1**.

fare	una rivista
mettere	al ristorante
mangiare	in ordine
leggere	una gita

Laura

☐ _____

☐ _____

Valentina e Matteo

☐ _____

☐ _____

▶ VIDEO

3 Guarda l'episodio e indica se le frasi sono vere.

	vero	falso
1 Laura non ha fatto colazione.	☐	☐
2 La giornata di Laura è iniziata presto.	☐	☐
3 Laura ha messo in ordine il bagno.	☐	☐
4 Laura ha letto una rivista e poi ha dormito.	☐	☐
5 Valentina e Matteo sono andati in campagna con degli amici.	☐	☐
6 Valentina e Matteo hanno mangiato in un ristorante costoso.	☐	☐

4 Leggi alcune frasi di Laura e Valentina e completale con i verbi al passato prossimo.

Laura   (Io-*Passare*) _____ la domenica a fare le pulizie e rimettere a posto la casa.

Valentina   Beh, veramente non (*essere*) _____ proprio una gita rilassante…!

Laura   E come (voi-*tornare*) _____ indietro?

Valentina   Beh, (noi-*fare*) _____ l'autostop… Insomma, (noi-*tornare*) _____ a casa solo poco fa e adesso Matteo sta anche male!

> **RICORDA**
> In italiano il verbo **fare** si usa in molte espressioni. In questo episodio per esempio troviamo: "fare le pulizie" e "fare l'autostop".

5 Osserva i fotogrammi e immagina cosa possono pensare i personaggi in queste situazioni. Usa il superlativo assoluto degli aggettivi che trovi sotto i fotogrammi.

1 La cucina è _____!

sporca

2 Ah, adesso la casa è _____!

ordinata

3 Questo pranzo è _____!

cattivo

4 Il conto è _____!

caro

> Guarda la videogrammatica dell'episodio

caffè culturale

a. *Leggi il testo. Per aiutarti, guarda la cartina d'Italia alla fine del libro.*

Dove andiamo in vacanza?

I turisti che visitano l'Italia possono scegliere tra molte opzioni: natura, spiagge, città d'arte, piccoli paesi antichi, teatri Greci e Romani, castelli medievali.

Mare - 7500 chilometri di spiagge, alcune località marine famose in tutto il mondo: la costiera Amalfitana in Campania, le Cinque Terre in Liguria e le spiagge della Sardegna.
Montagna - Nella catena delle Alpi a nord troviamo il Monte Bianco, 4807 metri. La catena degli Appennini invece attraversa tutta l'Italia da Nord a Sud e non ha solo montagne, ma anche i due grandi vulcani italiani: il Vesuvio vicino a Napoli e l'Etna, ancora attivo, in Sicilia.
Lago - Tra i paesi del Mediterraneo, l'Italia è quello con più laghi: famoso quello di Garda, ma anche il lago di Como e il lago Maggiore attirano sempre turisti da tutto il mondo.
Collina - Il 42 % del territorio italiano è in collina, dove si fa l'uva per i famosi vini italiani (dalle colline delle Langhe e della Franciacorta a quelle del Chianti). In collina si trovano anche molte città d'arte e borghi storici (per esempio San Gimignano, Arezzo) e castelli medievali come Castel del Monte, in Puglia.
Isole - La Sicilia (comprese le Eolie e le Egadi) e la Sardegna su tutte, ma anche l'isola d'Elba, Capri, Ischia, Procida, Ponza, l'isola del Giglio: i mari più limpidi e le spiagge più famose sono sulle isole, veri paradisi.

b. *Completa la tabella con gli elementi della lista.*

Eolie Chianti San Gimignano Garda Ischia Cinque Terre

mare	lago	isole	montagna	collina

Gioco

Si gioca in gruppi di 3 – 5 persone con 1 dado e pedine. A turno i giocatori lanciano il dado e avanzano con la loro pedina di tante caselle quanti sono i punti indicati sul dado.
Con il verbo della casella bisogna formare delle frasi al passato prossimo seguendo i seguenti criteri:

a) numero lanciato con i dadi:
  1 = io; 2 = tu; 3 = lui, lei, Lei;
  4 = noi; 5 = voi; 6 = loro
b) casella verde = frase affermativa,
c) casella celeste = frase negativa
Vince chi arriva prima al traguardo.

Bilancio

Dopo queste lezioni, che cosa so fare?

Chiedere e dare informazioni stradali	☐	☐	☐
Parlare di viaggi e vacanze	☐	☐	☐
Parlare del tempo	☐	☐	☐
Raccontare fatti passati	☐	☐	☐
Chiedere informazioni su fatti passati	☐	☐	☐
Descrivere un luogo	☐	☐	☐
Scusarmi	☐	☐	☐
Esprimere dispiacere	☐	☐	☐

Cose nuove che ho imparato

10 parole o espressioni che mi sembrano importanti:

Una cosa particolarmente difficile:

Una curiosità sull'Italia e gli italiani:

progetto

Racconta l'Italia

ITALIA

1. Scegli una regione, una città o una località italiana. Un posto che conosci o che vorresti conoscere. Ogni studente della classe deve scegliere un luogo diverso. Cominciate la ricerca su www.italia.it.

2. Documentati sulla tua località e prepara un percorso per farlo conoscere ai tuoi compagni. Usa immagini, descrizioni, video presi da internet e scrivi tu quello che già sai.

3. Se hai visitato la località scrivi un breve ricordo della tua esperienza, portando anche i materiali che hai (foto, video, ecc.).

4. Descrivi il luogo e racconta la tua esperienza al resto della classe, mostrando tutte le informazioni che hai preso da internet.

...fai il test a pag. 186

Sapori d'Italia

comunicazione

Cosa desidera?

Vorrei un litro di latte.

Il prosciutto lo preferisco stagionato.

Ecco fatto. Ancora qualcosa?

Si accomodi alla cassa.

Che stagione preferisci?

Versare nella pentola il sugo e mescolare.

grammatica

Le stagioni

Le quantità

I partitivi (al singolare)

I pronomi diretti *lo, la, li, le* e *ne*

La costruzione impersonale (*si* + verbo)

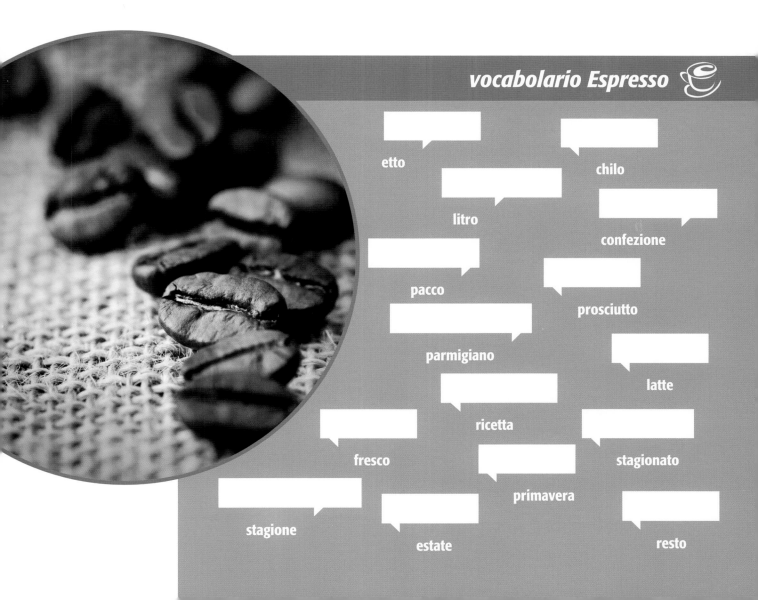

vocabolario Espresso

etto

chilo

litro

confezione

pacco

prosciutto

parmigiano

latte

ricetta

fresco

stagionato

primavera

stagione

estate

resto

1 La mia stagione preferita

Quale stagione preferisci? Perché? Parlane con alcuni compagni.

LA PRIMAVERA

L'ESTATE

L'AUTUNNO

L'INVERNO

2 Alimentari

Quando compri più spesso questi prodotti? Scrivi una o più lettere accanto a ogni prodotto.

P = in primavera   **E** = in estate   **A** = in autunno   **I** = in inverno   **S** = sempre   **M** = mai

1

PANINI

2

BISCOTTI

3

RISO

4

COCOMERO

5

CASTAGNE

6

BISTECCHE

7

CARNE MACINATA

8

PATATE

9

CILIEGIE

10

PESCHE

11

CAROTE

12

ZUCCHERO

13

UOVA

14

PEPERONI

15

SALAME

16

PESCE

17

BURRO

18

MIELE

19

AGLIO

20

PROSCIUTTO

21

FRAGOLE

22

CIPOLLA

23

FORMAGGIO

24

ARANCE

25

POMODORI

26

UVA

Discutete in piccoli gruppi: quali di questi prodotti mangiate volentieri?
Quali no? Quali avete sempre in casa?

sapori d'Italia

3 Il memory dei prodotti

Giocate in coppia, Studente A e Studente B, ognuno sul proprio libro. Lo studente A scrive sotto i disegni il nome dei primi 13 prodotti e memorizza per un minuto gli altri 13. Lo studente B scrive il nome degli altri 13 prodotti e memorizza per un minuto i primi 13. Coprite la pagina sinistra. A turno, fatevi delle domande come negli esempi. Ogni risposta giusta un punto. Vince chi fa più punti.

Studente A – Qual è il cocomero?	Studente B – Quali sono le fragole?
Studente B – Il numero 4. / Il numero 12.	Studente A – Il numero 21. / Il numero 26.
Studente A – Sì, giusto! / No, sbagliato!	Studente B – Sì, giusto! / No, sbagliato!

4 — cocomero

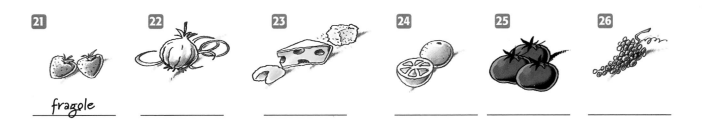

21 — fragole

4 Fare la spesa

56

Paolo va a fare la spesa. Ascolta e abbina i dialoghi alle foto dei negozi.

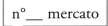

n°__ mercato

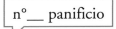

n°__ panificio

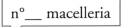

n°__ macelleria

Ascolta ancora una volta i dialoghi e completa.
Paolo compra ...

> un etto = 100 grammi
> due etti e mezzo = 250 grammi

cinque	_____	due etti e mezzo di	_____
un pacco di	_____	due chili di	_____
quattro	_____	un chilo di	_____

E 1·2

5 Cosa hai comprato?

Completa la lista della spesa con gli alimenti del punto **2** *e cerca di indovinare cosa ha comprato il tuo compagno. Avete 2 minuti di tempo. Vince chi ha, dopo 2 minuti, più "sì".*

> ■ Hai/ha comprato 5 uova?
> ◆ Sì./No.

cinque	_____	due etti e mezzo di	_____
un pacco di	_____	due chili di	_____
quattro	_____	un chilo di	_____

E 3

6 In un negozio di alimentari

57

Cosa compra la signora Ferri? Ascolta e collega, come nell'esempio.

2 etti di	latte	affettata sottile.
mezzo chilo di	maionese	fresco.
un litro di	mortadella	magro.
un vasetto di	olive	non troppo stagionato.
due confezioni di	parmigiano	verdi.
2 etti di	yogurt	--

sapori d'Italia

Ascolta, leggi e verifica.

■ Buongiorno, Angelo!

▼ Oh, buongiorno signora Ferri, allora cosa desidera oggi?

■ Due etti di mortadella. Ma <u>la</u> vorrei affettata sottile sottile, per cortesia.

▼ Ma certo, signora. Guardi un po': va bene così?

■ Perfetto!

▼ Ecco fatto. Ancora qualcosa?

■ Sì. Un pezzo di parmigiano. Ma non <u>lo</u> vorrei troppo stagionato...

▼ Piuttosto fresco allora.

■ Sì, appunto.

▼ E quanto <u>ne</u> vuole?

■ Circa mezzo chilo.

▼ Benissimo... Mezzo chilo. Qualcos'altro?

■ Sì, un litro di latte fresco, un vasetto di maionese, delle olive e poi... dello yogurt magro, due confezioni.

▼ Benissimo. Allora... latte, maionese, yogurt... Le olive <u>le</u> vuole verdi o nere?

■ Verdi e grosse, circa due etti.

▼ Altro?

■ No, nient'altro, grazie.

▼ Grazie a Lei. Allora ecco, si accomodi alla cassa.

Osserva. A cosa si riferiscono i pronomi <u>evidenziati</u> nel dialogo?
Segui l'esempio. Poi completa le frasi.

la = ___mortadella___   lo = _____   ne = _____   le = _____

La mortadella ____ vorrei affettata sottile.
Il parmigiano non ____ vorrei molto stagionato.
Le olive ____ vorrei verdi e grosse.
Quanto/quanta/quanti/quante ____ vuole?
Gli yogurt li vorrei magri.

E 4·5·6

7 In un negozio

In coppia, fate dei dialoghi secondo il modello.

parmigiano – fresco/stagionato – 3 etti

> del parmigiano
> dello yogurt

▲ Vorrei del parmigiano.
◆ Lo preferisce fresco o stagionato?
▲ Mah... fresco.
◆ Quanto ne vuole?
▲ Tre etti.

prosciutto – cotto/crudo – 2 etti
peperoni – gialli/verdi – mezzo chilo
vino – bianco/rosso – due bottiglie
olive – verdi/nere – 3 etti e mezzo
uva – nera/bianca – due chili
latte – fresco/a lunga conservazione – 1 litro
yogurt – magro/intero – 4 confezioni

E 7·8

8 La risposta giusta

Come rispondi a queste domande?

Cosa desidera oggi?
Ancora qualcosa?
Va bene così?
Quanto ne vuole?

Mezzo chilo.

Nient'altro, grazie.

Due etti di mortadella.

Sì, perfetto!

E 9·10

9 Fra negoziante e cliente

In coppia fate il dialogo in base alle seguenti indicazioni. A = Cliente, B = Negoziante.

A	B
1 saluta B	**2** risponde al saluto e domanda ad A cosa desidera
3 vuole del salame, ma affettato molto sottile	**4** chiede quanto ne vuole
5 risponde	**6** taglia una fetta e chiede se va bene
7 risponde di sì	**8** domanda ad A se desidera qualcos'altro
9 risponde di sì e ordina un'altra cosa.	**10** ...

Se volete, continuate il dialogo a piacere.

10 Mozzarella, aceto balsamico e ...

Guarda la foto. Conosci questi prodotti tipici italiani?
Li compri qualche volta?
Usi prodotti italiani in cucina? Quali?

11 In Italia si fa così

Lo sai? Forma delle frasi, come nell'esempio.

Con il pesce — si prepara — il cappuccino.
Gli spaghetti — non si bevono — con la mozzarella.
Dopo i pasti — si mangiano — solo con la forchetta.
Il salame — non si beve — in macelleria.
I vini rossi → si beve — freddi.
A colazione — non si compra → il vino bianco.
La vera pizza — non si mangiano — i salumi.

Leggi l'articolo e verifica.

E 11·12

sapori d'Italia

12 10 regole per "diventare italiani" a tavola

Quale vino si beve con il pesce? Cosa si mangia a colazione? Come si fa la vera pizza? Ecco le risposte giuste per diventare un italiano vero anche a tavola.

1. Con il pesce si beve il vino bianco. Freddo. Dunque mettere la bottiglia in frigo e toglierla solo quando il vino è fresco.
2. I vini rossi invece non si bevono freddi. E ricordate: la bottiglia non si apre all'ultimo momento ma almeno un'ora prima del pasto!
3. Di solito a colazione non si mangiano salumi, la colazione tipica è infatti costituita da caffè o cappuccino più un dolce.
4. È anche importante sapere che il cappuccino si beve solo a colazione. Quindi attenzione: dopo i pasti non si beve il cappuccino, ma il caffè!
5. Gli spaghetti si mangiano solo con la forchetta. Vietato usare il cucchiaio! Perciò: prima di andare a cena da amici italiani, suggeriamo di esercitarsi bene in questa difficile operazione!
6. La pizza si può mangiare in tanti modi, con i funghi, con il prosciutto, con le verdure, ma la vera pizza si prepara solo in un modo: con la mozzarella.
7. Il salame non si compra in macelleria, ma al supermercato o in un negozio di alimentari.
8. La pasta è un primo, non un secondo o un contorno, perciò non si mangia accanto ad altri alimenti come la carne o l'insalata.
9. A tavola non deve mai mancare il pane.
10. Per cucinare o condire in Italia si usa sempre olio extravergine di oliva.

Confronta le abitudini italiane con quelle del tuo Paese.

Anche da noi con il pesce **si beve** il vino bianco.
Da noi invece, a colazione **si mangiano** anche i salumi.

Il salame non **si compra** in macelleria.
Gli spaghetti **si mangiano** solo con la forchetta.

13 Come si fa il ragù?

58 ((▶

Ascolta la telefonata e metti nella giusta successione i disegni.

CUOCERE

VERSARE

MESCOLARE

AGGIUNGERE

TAGLIARE

sapori d'Italia

Ascolta di nuovo la telefonata e completa la ricetta.

Ricetta per n° ___ persone

1 _____, aglio, _____ e sedano
½ chilo di _____
½ bicchiere di _____.
1 chilo di passata di _____
sale e _____
acqua
olio
tempo di cottura: _____

E 12

Nella ricetta c'è un ingrediente in più. Qual è?

14 Non solo pizza

Conosci delle ricette italiane? Hai mai cucinato dei piatti italiani? Quali?

1 Quant'è?

59 (◀▶

Secondo te come si dice?

29,30 €
☐ ventinove euro e trenta
☐ ventinove più trenta euro
☐ ventinove e trenta euro

0,70 €
☐ zero e settanta centesimi
☐ settanta centesimi
☐ zero euro e settanta centesimi

Ascolta e verifica.

2 Ecco il resto

Scrivi 5 prezzi tra 5 e 50 euro, con i centesimi. Poi lavora con un compagno e riproducete il dialogo cambiando le parti <u>sottolineate</u>.

[ ] €
[ ] €
[ ] €
[ ] €
[ ] €

■ Quant'è?
▼ Sono <u>ventinove euro e trenta</u>.
■ Ecco <u>trenta</u> euro.
▼ Ed ecco il resto… ecco qui, <u>settanta centesimi</u>.
■ Grazie arrivederci.
▼ Arrivederci

E 13·14
15

E inoltre... 8

comunicazione e grammatica

Per comunicare

- Cosa desidera?
- ▼ Vorrei un pacco di spaghetti/un litro di latte/una bottiglia di vino/delle olive…

- Quanto/Quanta/Quanti/Quante ne vuole?
- ▼ Un chilo - Mezzo chilo - Due etti - Un pacco - Un litro - Una bottiglia.

- Il prosciutto come lo vuole?
- ▼ Cotto - Crudo.

- Ancora qualcosa? - Altro? - Qualcos'altro?
- ▼ Sì, del pane - Nient'altro, grazie.

- Quant'è?
- ▼ Sono 29 e trenta.
- Ecco trenta euro
- ▼ Ed ecco il resto.

- Che stagione preferisci / preferisce?
- ▼ La primavera. - L'estate. - L'autunno. - L'inverno.

Mettiti alla prova. Vai su *www.alma.tv* nella rubrica Linguaquiz e fai il videoquiz "I pronomi diretti".

Grammatica

Le quantità

Vorrei un chilo **di** mele/due etti **di** mortadella/un pacco **di** pasta/un litro **di** latte/una bottiglia **di** vino. Vorrei mezzo chilo **di** carne macinata.

*Le quantità sono sempre seguite dalla preposizione **di**.*

I partitivi (singolare)

Vorrei **del** formaggio/**della** carne/**dell'**aglio/**dello** yogurt.

*Le quantità indefinite si esprimono con i partitivi, cioè con la preposizione **di** + articolo determinativo (**del, della, dello, dell'**).*

I pronomi diretti *lo, la, li, le e ne*

- Vorrei del **parmigiano**.   ▼ **Lo** vuole stagionato?

- Vorrei dell'**uva**.   ▼ **La** vuole bianca o nera?
- Vorrei dei **peperoni**.   ▼ **Li** vuole verdi o gialli?
- Vorrei delle **olive**.   ▼ **Le** vuole verdi o nere?

- Quanto **ne** vuole?   ▼ Mezzo chilo.

*I pronomi diretti **lo, la, li, le** si usano per sostituire un nome (oggetto). **Lo** si usa con i nomi maschili singolari. Il pronome **la** si usa con i nomi femminili singolari. Il pronome **li** si usa con i nomi maschili plurali. Il pronome **le** si usa con i nomi femminili plurali.*

*Il pronome **ne** indica una parte di un tutto.*

Il parmigiano come **lo** vuole?
La mortadella la vorrei affettata sottile.
Gli yogurt li vorrei magri.
Le olive le vuole verdi o nere?

I pronomi diretti vanno prima del verbo. Nella lingua parlata si usa spesso mettere il nome (oggetto) all'inizio della frase e ripetere anche il pronome diretto corrispondente.

La costruzione impersonale (*si* + verbo)

La **carne** (singolare) si **compra** in macelleria.

Gli **spaghetti** (plurale) si **mangiano** solo con la forchetta.

Quando il sostantivo che segue il verbo è singolare, il verbo si coniuga alla terza persona singolare. Quando il sostantivo è plurale, il verbo si coniuga alla terza persona plurale.

8

1 Prima di guardare il video, osserva l'immagine: secondo te cosa compra Federico in questo negozio?

☐ prosciutto
☐ carne
☐ salse
☐ pesce
☐ formaggi
☐ verdura
☐ vino
☐ salame
☐ frutta
☐ pasta

2 Prima di guardare il video, osserva i fotogrammi e abbinali alle frasi. Attenzione: c'è un fotogramma in più!

1 ☐
Un attimo, un attimo, per favore!

2 ☐
Per un buon picnic deve avere almeno due tipi di panini.

3 ☐
Fette sottili, però eh! Così!

VIDEO

3 Guarda il video e verifica le tue ipotesi ai punti **1** e **2**.

4 Collega le frasi ai fotogrammi.

Federico

Salumiere

Ha una lista per la spesa

Chiede una ricetta

Dà una ricetta

Chiede quanti pomodori comprare

Chiede cosa deve fare con il prosciutto

videocorso

5 Osserva i fotogrammi, leggi le frasi e rispondi alle domande.

Eh, si fa presto a dire "panino"!

➊ Cosa significa secondo te questa espressione?
☐ a. Sembra facile ma in realtà è difficile.
☐ b. Sembra difficile ma in realtà è facile.

La consulenza è gratis. Per il resto, se non vuole altro, sono 18 euro!

➋ Come puoi dire in un altro modo?
☐ a. Non devi pagare i consigli.
☐ b. Ti faccio uno sconto.
☐ c. Non devi pagare niente.

RICORDA
In questo episodio troviamo un salumiere un po' strano, è vero, ma non impossibile da incontrare, almeno in Italia, dove fare la spesa può essere anche un momento di socialità. Anche nel tuo Paese è così?

8

6 Il salumiere dà a Federico delle indicazioni per fare "il panino perfetto".
Leggi e completa con gli elementi mancanti la lista e la ricetta.
Per la verifica, puoi rivedere l'episodio da 2'20" a 3'27".

panino 1	panino 2
pecorino prosciutto olive	peperoni cuocere pomodoro olio extravergine d'oliva aggiunge taglia melanzana

3 etti di _____ dolce DOP
_____ verdi o nere
3 etti di _____ non stagionato

Prima deve [   ] i _____
e la _____, poi [   ] il
_____ a fette e alla fine, ma
solo alla fine, [   ] un filo
d'_____!

> **Guarda la videogrammatica dell'episodio**

a. *Abbina ogni prodotto alla descrizione corrispondente.*

a. È la base della dieta mediterranea. In Italia si usa solo extravergine.

b. Ha un sapore delicato ma nello stesso tempo intenso. Con il melone, è un antipasto tipico italiano.

c. È il vino italiano più esportato e conosciuto all'estero; prende il nome dalla zona della Toscana dove si produce.

d. È il tradizionale cioccolatino torinese prodotto ancora con l'antica ricetta.

e. È sicuramente il formaggio più famoso d'Italia. Ha un sapore intenso ma delicato. Si mette su quasi tutti i tipi di pasta.

f. È uno dei formaggi italiani più famosi al mondo, dal sapore fresco e leggero, ideale in estate, si mangia con i pomodori nel tipico piatto della "caprese".

g. Sono un tipo di pasta tipico dell'Emilia Romagna, dalla forma molto caratteristica e pieni di carne.

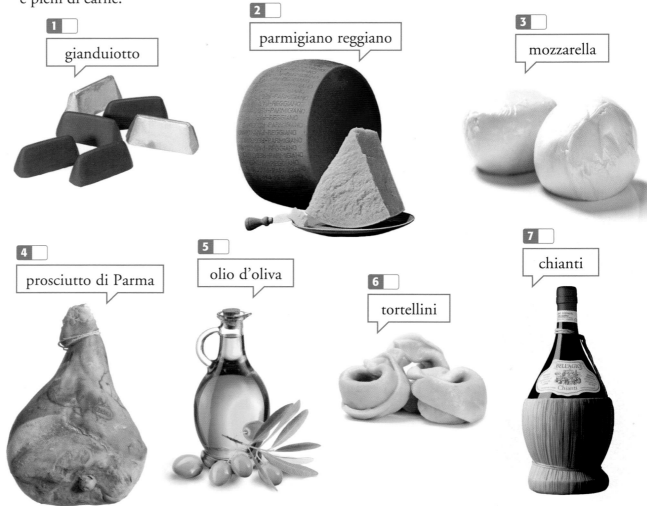

1 gianduiotto

2 parmigiano reggiano

3 mozzarella

4 prosciutto di Parma

5 olio d'oliva

6 tortellini

7 chianti

b. *Hai mai assaggiato uno di questi prodotti? Quale è facile trovare nel tuo Paese? Quale preferisci?*

Vita quotidiana

comunicazione

Andiamo al cinema stasera?
Domani mi alzo presto.
Il caffè si beve a colazione.
Raramente faccio sport.
Quando cominci a lavorare?
Lavoro dalle 9 alle 18.

grammatica

I verbi riflessivi
Alcune espressioni di tempo
Gli avverbi di tempo e di frequenza
Modi di dire con il verbo *fare*

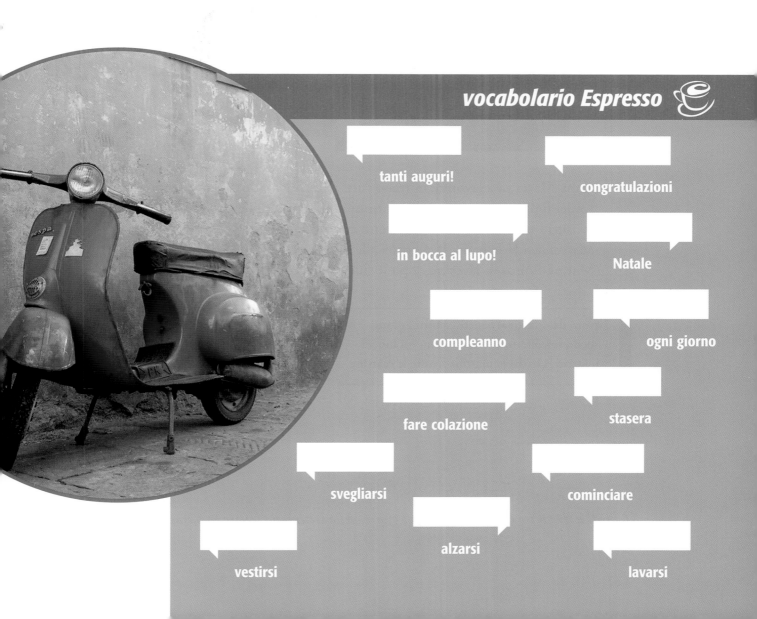

vocabolario Espresso

tanti auguri!

congratulazioni

in bocca al lupo!

Natale

compleanno

ogni giorno

fare colazione

stasera

svegliarsi

cominciare

vestirsi

alzarsi

lavarsi

1 Chi è?

Abbina le frasi alle foto.

| 1 | Anna Maria va a lavorare in treno tutti i giorni dal lunedì al venerdì.
| 2 | I miei figli possono guardare i cartoni in TV tutti i giorni dalle 18.00 alle 19.00.
| 3 | Io tutti i lunedì sera gioco a calcetto con i miei amici.
| 4 | Marcello si fa la barba la mattina alle 8.00.
| 5 | Marina finisce di lavorare dopo le due di notte.

E 1·2·3

> Lavoro **dal lunedì al venerdì / tutti i giorni**
> Gioco a calcetto **tutti i lunedì sera / il lunedì**
> Mi faccio la barba **la mattina / tutte le mattine**

> Comincio a / Finisco di lavorare
> **alle... / prima delle... / dopo le...**
> Lavoro **dalle... alle... / fino alle...**
> **/ di mattina / di pomeriggio...**
> Guardo la TV **fra le... e le...**
> **/ dalle... in poi.**

2 Lavoro o scuola

Chiedi a due o tre compagni in quali giorni della settimana lavorano o studiano.

3 Il grande giorno! 62

Ascolta e indica se le azioni si riferiscono a Carlo (C) o a Alberto (A), come nell'esempio.

stasera	domani	raramente	mai

[A] *vuole andare al cinema*   ☐ si alza alle 7.00   ☐ gioca a tennis   ☐ gioca a calcetto
☐ vuole riposare   ☐ esce alle 17.30 dall'ufficio
☐ gioca a calcetto

Ascolta, leggi e verifica.

- ■ Carlo, andiamo al cinema stasera?
- ▼ No grazie Alberto, stasera mi riposo e vado a letto presto. Domani è il grande giorno!
- ■ Il grande giorno? Perché?
- ▼ Eheheh… domani sera c'è la finale del torneo di calcetto.
- ■ Ma domani lavori?
- ▼ Sì certo, per questo stasera non voglio stancarmi troppo.
- ■ Ah certo.
- ▼ Ho preparato un programma per tutta la giornata.
- ■ Ah sì?
- ▼ Sì sì. La borsa per la partita è già pronta. Domani mi alzo presto, alle 7, faccio una bella colazione, mi preparo con calma e vado in ufficio. Poi verso le cinque e mezza esco e vado al campo.
- ■ A che ora è la partita?
- ▼ Alle sei e mezza. Ma tu? Non giochi a calcetto?
- ■ Mah… io raramente faccio sport, un po' di tennis, un po' di sci d'inverno…
- ▼ …E niente calcetto.
- ■ No no. L'ultima volta che ho giocato a calcetto è stato… più di dieci anni fa!
- ▼ Ma dai!!!
- ■ Eh già.

> vado a letto presto
> raramente faccio sport

Completa la coniugazione del verbo riflessivo alzarsi.

> **alzarsi**
> _____
> **ti** alzi
> **si** alza
> **ci** alziamo
> **vi** alzate
> **si** alzano

E 4·5·6

4 Una giornata normale

Abbina le frasi ai disegni. Attenzione: ci sono due frasi in più.

E 7·8·9

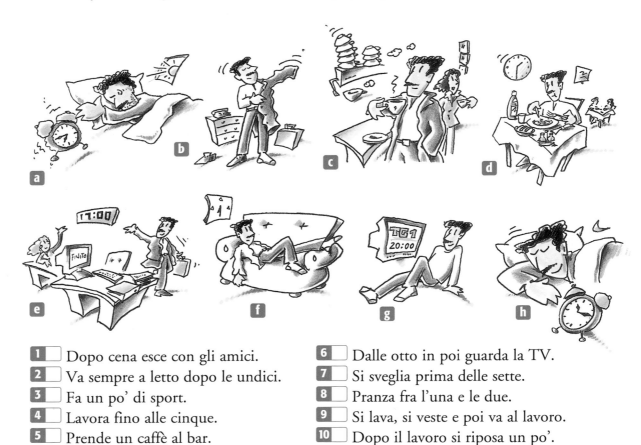

1 ☐ Dopo cena esce con gli amici.		**6** ☐ Dalle otto in poi guarda la TV.	
2 ☐ Va sempre a letto dopo le undici.		**7** ☐ Si sveglia prima delle sette.	
3 ☐ Fa un po' di sport.		**8** ☐ Pranza fra l'una e le due.	
4 ☐ Lavora fino alle cinque.		**9** ☐ Si lava, si veste e poi va al lavoro.	
5 ☐ Prende un caffè al bar.		**10** ☐ Dopo il lavoro si riposa un po'.	

5 Dal lunedì al venerdì

In coppia preparate cinque domande per informarvi su come passa la giornata un compagno di corso. Poi formate nuove coppie, intervistate il nuovo partner e scoprite se avete orari simili.

6 Come sono gli italiani?

Cosa sai degli italiani?
Qui sotto ci sono 5 luoghi comuni sugli italiani. Secondo te sono veri?
Poi confrontati con un gruppo di compagni

		vero	falso
1 Gli italiani bevono molto caffè		☐	☐
2 Tutti gli italiani cantano		☐	☐
3 Gli italiani amano molto la pasta		☐	☐
4 Gli italiani muovono molto le mani		☐	☐
5 Gli italiani sono appassionati di calcio		☐	☐

9

vita quotidiana

Leggi i testi e abbina ad ogni paragrafo un luogo comune, come nell'esempio.

a ☐ Non è vero che gli italiani cantano tutte le mattine sotto la doccia. E non è vero che tutti conoscono le canzoni napoletane come *O Sole Mio* o *Torna a Surriento!* Questo stereotipo ha creato nelle città turistiche delle situazioni irreali e assurde. A Venezia, ad esempio, durante le gite in gondola c'è sempre (ma solo per gli stranieri!) un accompagnamento musicale composto da canzoni popolari napoletane!

b ☐ Mangiarla almeno una volta al giorno è la normalità per la maggior parte degli italiani. In particolare gli spaghetti, conditi con moltissimi sughi diversi, sono una specialità che è difficile trovare all'estero. Secondo gli italiani infatti solo in Italia si sa cuocere la pasta alla perfezione.

c ☐ È lo sport nazionale. Anche chi non gioca segue tutto l'anno il calcio in televisione, alla radio e sui giornali, ma anche al bar, sotto l'ombrellone d'estate e d'inverno a scuola o sul posto di lavoro. Per questo si dice che il calcio "parlato", più che il calcio "giocato", è lo sport nazionale d'Italia. La domenica poi è sacra: gli appassionati si mettono davanti alle TV e le donne… spesso si annoiano.

d **1** È verissimo. L'espresso è parte della vita quotidiana degli italiani. Si beve a colazione, dopo pranzo, dopo cena, durante le brevi pause di lavoro, a casa o al bar. Ma attenzione: in Italia, soprattutto al bar, si prende in piedi e velocemente.

e ☐ È vero, molti italiani gesticolano continuamente mentre parlano. È un modo per accompagnare il ragionamento, per rendere più chiaro il discorso o anche per dire qualcosa senza parole. Ma attenzione: riprodurre i gesti non è semplice come sembra.

da www.italica.rai.it

Quali sono gli stereotipi più comuni (veri o falsi) sulle persone del tuo Paese? Fai una lista, confronta con un compagno e poi con il resto della classe.

Nel testo ci sono quattro verbi usati alla forma impersonale e due forme riflessive. Quali sono? E 10

7 Quando?

Ricostruisci le quattro espressioni di tempo scegliendo ogni parola dalla colonna corrispondente.

una	l'anno	al	giorno
tutte	le	mattine	
tutto	volta		
continuamente			

↓ ↓ ↓ ↓

a _____

b _____

c _____

d _____

8 **Il sabato di Davide...**

Guarda i disegni. Come descrive Davide il proprio sabato?
Scrivi accanto a ogni frase il numero del disegno corrispondente.

a ☐ Mangio spesso fuori con gli amici.
b ☐ Mi sveglio tardi.
c ☐ Faccio una passeggiata con la mia ragazza.
d ☐ La sera a volte sto a casa con Sara.
e ☐ Quando torno a casa faccio la doccia.
f ☐ Mi metto una tuta e poi faccio sport.

Adesso ascolta il dialogo fra Davide e Angela. Che cosa fa lui ancora il sabato?   63 ◖▶
Cerca di scoprire altre informazioni, oltre a quelle date dai disegni.
E come passa il sabato Angela?

> Davide...
>
> Angela invece...

E voi come passate di solito il sabato? Parlatene in piccoli gruppi.

9 La giornata di Ernesto

Guarda i disegni e scrivi cosa ha fatto Ernesto in questa giornata.

9

E inoltre...

1 Feste e ricorrenze

Ecco alcune feste importanti. Collegale alle date giuste.

Natale	Il primo gennaio
Ferragosto	Il 14 febbraio
La festa dei lavoratori	Il 25 dicembre
Capodanno	Il 19 marzo
San Silvestro	Il primo maggio
La festa della donna	Il 2 giugno
San Giuseppe (festa del papà)	Il 15 agosto
San Valentino (festa degli innamorati)	L'8 marzo
La festa della Repubblica	Il 31 dicembre

 E 11

In coppia confrontate le risposte.

Quali di queste feste ci sono anche nel vostro Paese? Festeggiate altre ricorrenze importanti?

2 Tanti auguri

64 🔊▶

Ascolta i brevi dialoghi e abbinali alle situazioni.

n° ☐ Il primo gennaio.	_____
n° ☐ A tavola.	_____
n° ☐ Il compleanno di un'amica.	_____
n° ☐ Prima di una prova importante.	_____
n° ☐ Il 25 dicembre.	_____
n° ☐ Prima di un viaggio.	_____
n° ☐ Una persona ci dà una bella notizia.	_____

Scrivi gli auguri che si fanno vicino ad ogni situazione. Se necessario ascolta ancora l'audio.

Buon viaggio!	Tanti auguri!	Congratulazioni!	Buon anno!

Buon Natale!	Buon appetito!	In bocca al lupo!

E 12

3 Una breve risposta

Rispondi brevemente a questi SMS.

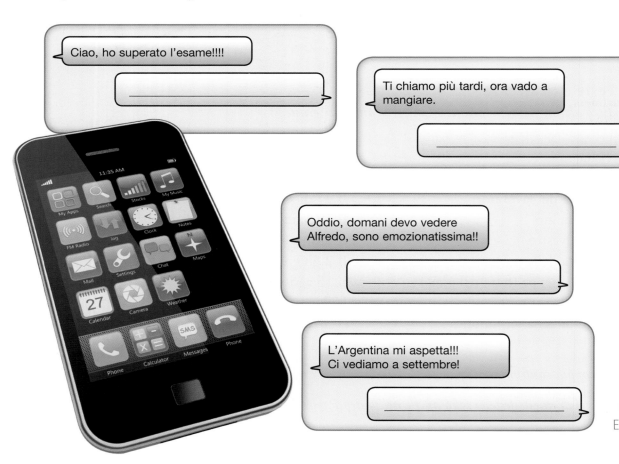

Ciao, ho superato l'esame!!!!
_____

Ti chiamo più tardi, ora vado a mangiare.
_____

Oddio, domani devo vedere Alfredo, sono emozionatissima!!
_____

L'Argentina mi aspetta!!! Ci vediamo a settembre!
_____

E 13·14

E inoltre...

9

Per comunicare

- ■ Quando cominci/comincia a lavorare? - Quando finisci/finisce di lavorare?
- ▼ Prima delle nove - Dopo le sei di mattina/ di pomeriggio. - Dalle… alle… - Fino alle… - Dalle… in poi. - Molto tardi.

- ■ Ti alzi/Si alza presto la mattina?
- ▼ Purtroppo sì. - Sì, ma poi mi riposo dopo pranzo. - Dipende.

- ■ Che orari hai/ha?
- ▼ Mi alzo prima delle… - Vado al lavoro alle… - Dopo il lavoro torno a casa. - Vado a letto alle…

Tanti auguri! – Congratulazioni! – Buon Natale! – Buon viaggio! – Buon anno! – Buon appetito! – In bocca al lupo!

Grammatica

I verbi riflessivi

Stasera **mi riposo**.
Domani **mi alzo** presto.

Il pronome riflessivo si mette prima del verbo.

Non mi alzo prima delle 8.

*La negazione **non** si mette prima del pronome riflessivo.*

riposar**si**	
(io)	**mi** riposo
(tu)	**ti** riposi
(lui, lei, Lei)	**si** riposa
(noi)	**ci** riposiamo
(voi)	**vi** riposate
(loro)	**si** riposano

Alcune espressioni di tempo

Tutte le mattine - Una volta al giorno - Tutto l'anno

Si usano per descrivere quando o per quanto tempo si fa qualcosa.

Gli avverbi di tempo

Normalmente vado al lavoro in macchina.
Di solito ceno verso le 8.

*Le parole **normalmente** e **di solito** descrivono quando, con che frequenza si fa qualcosa. Sono avverbi.*

Mai - Stasera - Domani - Presto - Tardi - Di solito - A volte

Gli avverbi sono invariabili. Alcuni avverbi possono essere delle espressioni formate da più di una parola.

Due modi di dire con il verbo *fare*

Fare due passi = fare una piccola passeggiata
Fare colazione = mangiare la mattina

*Il verbo **fare** può prendere diversi significati, a seconda della parola o dell'espressione che lo segue.*

'ALMA.tv

Mettiti alla prova. Vai su *www.alma.tv* nella rubrica Linguaquiz e fai il videoquiz "Espressioni di tempo".

9

VIDEO

1 **Prima di guardare l'episodio, leggi le frasi: secondo te a chi si riferiscono?**
Fai una tua ipotesi e poi guarda il video per la verifica.

Laura (L)

Federico (F)

1 ☐ guarda la partita **2** ☐ esce con le amiche **3** ☐ esce con Marina **4** ☐ va a yoga

5 ☐ va a mangiare una pizza con gli amici **6** ☐ va a un concerto

2 **In che giorno della settimana si svolge questa telefonata? Perché?**
Se vuoi, guarda di nuovo l'episodio.

3 **Completa la tabella con gli appuntamenti di Laura come negli esempi.**

Lunedì	Martedì	Mercoledì	Giovedì	Venerdì	Sabato
_____ (dalle ___ alle ___)	esce con Marina				

4 **Dove va Laura lunedì?**

☐ a yoga   ☐ alla festa

5 **Come risponde Laura all'augurio dell'amica? Completa il balloon.**

Beh, in bocca al lupo, allora!

_____!

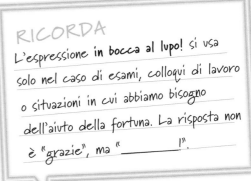

RICORDA
L'espressione in bocca al lupo! si usa solo nel caso di esami, colloqui di lavoro o situazioni in cui abbiamo bisogno dell'aiuto della fortuna. La risposta non è "grazie", ma "_____!".

6 Osserva i fotogrammi, leggi i testi e rispondi alle domande.

> Ah già, gli sportivi del divano! Vi alzate solo per andare a prendere da bere...!

1 Cosa vuole dire Laura con questa espressione?
- ☐ a. Federico e i suoi amici amano fare sport.
- ☐ b. Federico e i suoi amici fanno sport sul divano.
- ☐ c. Federico e i suoi amici amano guardare lo sport alla tv.

> Al cinema Astra danno quel film che ti piace tanto...

2 Cosa significa questa espressione?
- ☐ a. Regalano un film a chi va al cinema.
- ☐ b. Hanno in programmazione un film.

7 Completa il dialogo tra Laura e Federico con gli elementi mancanti.

stasera	mi sveglio	dalle sette alle nove	domani	alle sei e mezzo	vi alzate

Federico   Senti, _____ io vado a mangiare una pizza con qualche amico. Vieni anche tu?

Laura   No, stasera… Ma che ore sono? Mamma mia, ma già le sei! _____ devo fare una cosa…! Mi dispiace Fede, oggi no!

Federico   Va bene dai… Ah no, ecco c'è un'altra cosa! Al cinema "Astra" danno quel film che ti piace tanto, quello con Scamarcio. Andiamo _____?

Laura   No, il lunedì ho yoga _____.

Federico   Ah già. Beh, possiamo andare allo spettacolo delle dieci e mezza.

Laura   No no, poi finisce troppo tardi. Io la mattina devo andare a lavorare: _____ presto, io…

Federico   Martedì?

Laura   Martedì esco con Marina… Facciamo mercoledì?

Federico   Sì, ok… Ah no, mercoledì c'è la partita. Vengono qui Paolo, Andrea…

Laura   Ah già, gli sportivi del divano! _____ solo per andare a prendere da bere…! Va bene! Comunque poi io giovedì non posso, e venerdì è venerdì, quindi esco con le mie amiche.

> **Guarda la videogrammatica dell'episodio**

Cosa regalano gli italiani

a. *Abbina le immagini dei regali alle occasioni. È così anche nel tuo Paese?*

1	Festa della donna (8 marzo)
2	Nascita di un bambino
3	Invito a cena

| 4 | Compleanno / Natale |
| 5 | San Valentino |

b. *Regali da fare… o no?*

Anche quando facciamo un regalo ci sono delle regole. Leggi le frasi e indica se nel tuo Paese è così o no. Indica le tue ipotesi e poi confrontati con i compagni.

	Nel mio Paese		In Italia	
	sì	no	sì	no
1 Regalare fiori a un uomo.	☐	☐	☐	☒
2 Regalare un portafoglio vuoto.	☐	☐	☐	☒
3 Aprire il regalo subito.	☐	☐	☒	☐
4 Regalare un numero pari di rose.	☐	☐	☐	☒
5 Ringraziare e sorridere anche se il regalo non piace.	☐	☐	☒	☐
6 Riciclare i regali.	☐	☐	☐	☒

Perché sì e perché no

1. Di regola, è l'uomo che deve regalare fiori alla donna, ma a molti uomini non dispiace ricevere fiori.
2. Quando si regala un portafoglio, si mette dentro qualche moneta come portafortuna.
3. In Italia è buona educazione aprire il regalo subito, anche per dimostrare che siamo interessati a vedere che cos'è.
4. Secondo un'antica tradizione, si devono regalare le rose in numero dispari, il numero pari porta sfortuna. Eccezione sono la dozzina (12) di rose rosse e 6 rose (sempre rosse) per un fidanzamento.
5. Naturalmente è questione di educazione: il regalo è sempre una cosa positiva, anche quando non ci piace.
6. Non si fa, ma molti lo fanno. Con attenzione, però! Meglio non farlo sapere a chi ci ha fatto il regalo che abbiamo deciso di riciclare…

9

La famiglia

comunicazione

Vivi da solo o con la tua famiglia?

Tu sei figlio unico?

Come promesso, ti mando una foto.

È la più alta della famiglia.

Non mi sono riposato per niente.

La bambina davanti a me è mia nipote.

Valeria e Pietro hanno fatto la lista di nozze.

grammatica

Gli aggettivi possessivi

L'uso dell'articolo con i possessivi

Il superlativo relativo

Il passato prossimo dei verbi riflessivi

perché - siccome

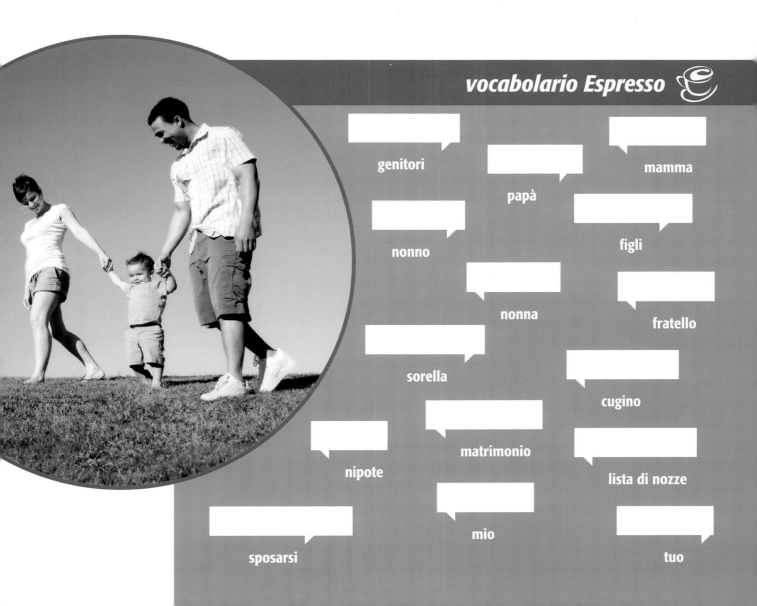

vocabolario Espresso

genitori

mamma

papà

nonno

figli

nonna

fratello

sorella

cugino

matrimonio

nipote

lista di nozze

mio

sposarsi

tuo

1 La famiglia fa notizia

Abbina le foto all'articolo corrispondente.

1 ☐

Nonni a scuola dai nipoti oggi lezione di Internet

Nove scuole, 900 anziani, 900 ragazzi Obiettivo: creare in un anno un giornale online.

2 ☐

Donne in carriera l'ora del dietrofront

Una su 4 torna a casa per i figli e il marito.

3 ☐

Vittoria, la bambina che vota con la madre in Parlamento

Da quando è nata, la piccola segue la madre a Strasburgo quando il padre va a lavorare.

4 ☐

Crescere senza fratelli: è la famiglia del figlio unico

Mamma, papà e il loro bambino. In Italia sono il 46,5%.

5 ☐

Fratello e sorella si ritrovano dopo 57 anni

Dopo quasi mezzo secolo l'incontro.

6 ☐

Bambini a letto tardi per guardare la tv

I genitori dicono: «Così ho più tempo da passare con lui».

la famiglia

2 I nomi della famiglia

Lavora con un compagno: con l'aiuto delle notizie di pagina 130, osservate l'immagine e completate le frasi con i nomi che riguardano la famiglia

1. Mario è il **nonno** di Paolo. Sonia è la _____
2. Amina è la **zia** di Paolo. Giovanni è lo _____.
3. Simona è la **sorella** di Paolo. Paolo è il _____ di Simona.
4. Paolo e Simona sono i **nipoti** di Giovanni e Amina. Giovanni e Amina sono gli _____ di Paolo e Simona.
5. Anna è la **madre** di Paolo. Stefano è il _____. Anna e Stefano sono i _____ di Paolo e Simona.
6. Matteo è il **cugino** di Paolo e Simona. Giulia è la _____.

E1

3 Trovate un titolo

A coppie scegliete una foto e inventate un titolo.

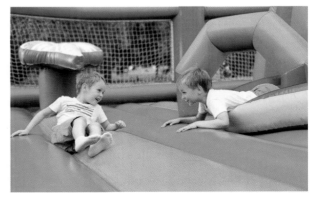

la famiglia

4 Vive ancora con i genitori

66 ((▶

*A una festa Valentina racconta a Peter della sua famiglia. Ascolta il dialogo
e segna se le seguenti affermazioni sono vere o false.*

		vero	falso
a	Valentina abita a Milano da meno di otto anni.	☐	☐
b	Tutta la famiglia di Valentina vive a Roma.	☐	☐
c	Valentina è la più giovane della famiglia.	☐	☐
d	Una delle due sorelle di Valentina è casalinga.	☐	☐
e	Il fratello di Valentina è andato a vivere da solo.	☐	☐
f	Solo la sorella più grande è sposata.	☐	☐
g	Valentina ha un solo nipote.	☐	☐

Leggi e completa il dialogo con i possessivi. Poi ascolta di nuovo e verifica.

mio	tue	mia	tuoi	tua	suo	mio

■ Sei di Milano anche tu?

▼ No, sono di Roma, però abito qui già da sei anni. Tu invece?

■ Io sono qui da quasi otto anni.

▼ Ah, da solo o con la _____ famiglia?

■ Da solo, e tu?

▼ Anch'io. La _____ famiglia vive a Roma.

■ Oh, hai sorelle?

▼ Sì, due sorelle e un fratello.

■ Oh! Una famiglia numerosa! Io invece sono figlio unico. E tu sei la più giovane?

▼ No, io sono la terza: la più grande ha 36 anni, la seconda 34 e _____ fratello Marco, 26.

■ E che fanno?

▼ Mah… La più grande è impiegata, l'altra fa la sociologa e _____ fratello studia ancora.

■ E vive con i _____ genitori, immagino.

▼ Sì, ma in Italia è normale.

■ E perché secondo te è normale?

▼ Mah, un po' per cultura, per abitudine, e un po' per motivi economici. Di solito sono
i ragazzi che restano a casa, forse perché sono più mammoni.

■ E le _____ sorelle sono sposate?

▼ La più grande sì e ha anche due bambini; l'altra invece vive con il _____ ragazzo.

5 Completa

Completa lo schema con i possessivi del dialogo.

singolare		plurale	
maschile	femminile	maschile	femminile
(il) _____	(la) _____	i miei	le mie
(il) tuo	(la) _____	i _____	le _____
(il) _____	(la) sua	i suoi	le sue

E 2

6 Quanti siete in famiglia?

Intervista un compagno. Domanda...

se è sposato/-a   i nomi dei suoi familiari (genitori, fratelli, sorelle)

se ha figli/nipoti/cugini...   l'età e la professione dei familiari

Durante l'intervista disegna il suo albero genealogico (sul modello di quello al punto **2***)
e poi confrontati con lui.*

10

> la sorella **più** giovane – **la più** giovane
> il fratello **più** piccolo – **il più** piccolo

7 Chi di voi ha...?

Lavorate in piccoli gruppi e attraverso domande appropriate cercate la persona che ha...

la famiglia più numerosa _____

i genitori più lontani _____

la mamma più giovane _____

il nonno più anziano _____

il/la nipote più piccolo/-a _____

i nonni più giovani _____

la famiglia più piccola _____   il papà più giovane _____

E 3

la famiglia

8 Una mail speciale

Leggi la mail di Andrea e individua nel disegno le persone descritte.

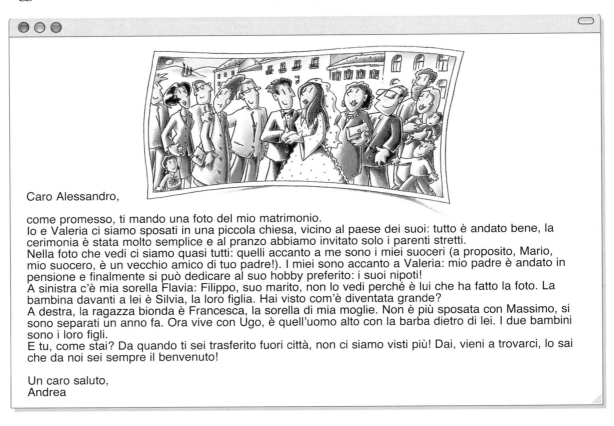

Caro Alessandro,

come promesso, ti mando una foto del mio matrimonio.
Io e Valeria ci siamo sposati in una piccola chiesa, vicino al paese dei suoi: tutto è andato bene, la cerimonia è stata molto semplice e al pranzo abbiamo invitato solo i parenti stretti.
Nella foto che vedi ci siamo quasi tutti: quelli accanto a me sono i miei suoceri (a proposito, Mario, mio suocero, è un vecchio amico di tuo padre!). I miei sono accanto a Valeria: mio padre è andato in pensione e finalmente si può dedicare al suo hobby preferito: i suoi nipoti!
A sinistra c'è mia sorella Flavia: Filippo, suo marito, non lo vedi perché è lui che ha fatto la foto. La bambina davanti a lei è Silvia, la loro figlia. Hai visto com'è diventata grande?
A destra, la ragazza bionda è Francesca, la sorella di mia moglie. Non è più sposata con Massimo, si sono separati un anno fa. Ora vive con Ugo, è quell'uomo alto con la barba dietro di lei. I due bambini sono i loro figli.
E tu, come stai? Da quando ti sei trasferito fuori città, non ci siamo visti più! Dai, vieni a trovarci, lo sai che da noi sei sempre il benvenuto!

Un caro saluto,
Andrea

> Il paese dei **suoi** = il paese dei **suoi genitori**
> **I miei** sono accanto a Valeria = **i miei genitori** sono accanto a Valeria

E 4·5

9 L'articolo con gli aggettivi possessivi

Rileggi la mail, sottolinea tutti gli aggettivi possessivi e completa la tabella segnando con una X la risposta esatta.

In italiano, generalmente, davanti agli aggettivi possessivi

	c'è l'articolo	non c'è l'articolo
con i nomi di parentela al singolare	☐	☐
con i nomi di parentela al plurale	☐	☐
con tutti gli altri sostantivi	☐	☐
In italiano davanti all'aggettivo possessivo «loro»	☐	☐

E 6·7

sua figlia	(il) **nostro**	(la) **nostra**	i **nostri**	le **nostre**
suo marito	(il) **vostro**	(la) **vostra**	i **vostri**	le **vostre**
il suo ragazzo	il **loro**	la **loro**	i **loro**	le **loro**

10

la famiglia

10 Mio, tuo, ...

Si gioca in piccoli gruppi con un dado. A turno i giocatori lanciano il dado e avanzano di tante caselle quanti sono i punti indicati sul dado. A ogni numero del lancio corrisponde anche un aggettivo possessivo: 1 mio, 2 tuo, ecc. Compito dei giocatori è quello di formare una frase con il vocabolo indicato e il relativo possessivo. Se la frase è corretta il giocatore avanza di un'altra casella, altrimenti retrocede di una. Vince chi arriva prima al traguardo.

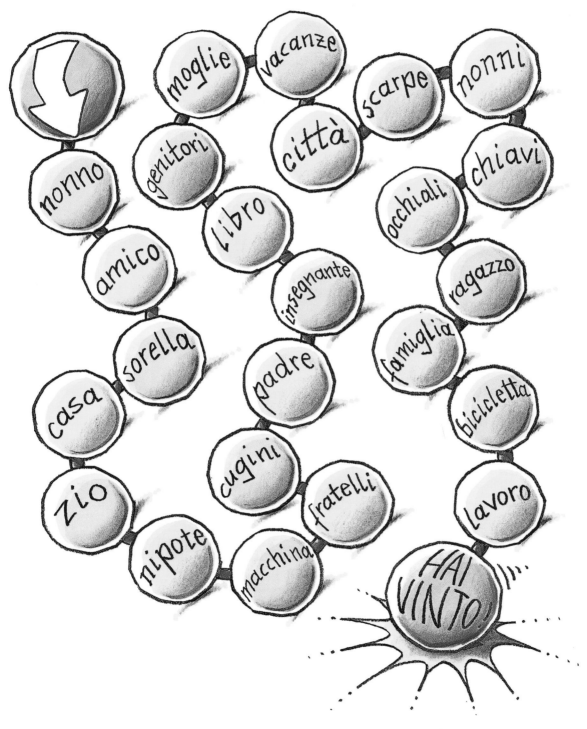

la famiglia

11 Si è sposato...

Nella sua lettera Andrea usa alcuni verbi riflessivi al passato. Cerca le forme e scrivile accanto all'infinito.

sposarsi: _____   trasferirsi: _____

separarsi: _____   vedersi: _____

Che cosa noti? Parlane con un compagno e poi in plenum.

sposarsi
mi sono sposat**o**/-**a**
ti sei sposat**o**/-**a**
si è sposat**o**/-**a**
ci siamo sposat**i**/-**e**
vi siete sposat**i**/-**e**
si sono sposat**i**/-**e**

12 Cerca una persona che...

Intervista i tuoi compagni. Attenzione: non puoi fare più di tre domande a persona.
Vince chi, allo stop dell'insegnante, fornisce la lista più completa.
Scrivi il nome della persona che...

si è sposata da poco tempo. _____

sabato scorso si è alzata presto. _____

lo scorso fine settimana si è divertita tantissimo. _____

si è trasferita in una nuova città da meno di due anni. _____

oggi si è svegliata tardi. _____

lo scorso fine settimana non si è riposata per niente. _____

oggi si è arrabbiata molto. _____

si è dedicata per anni allo studio del pianoforte. _____

13 Una lettera

Immagina di mandare a un amico che non vedi da molto tempo una foto attuale della tua famiglia. Descrivila e racconta che cosa è cambiato negli ultimi tempi per te e per la tua famiglia.

la famiglia

14 Genitori vicini e lontani

Prova a inserire i numeri che ritieni probabili fra quelli qui sotto.

| 27 | 42,9 | 58 | 65 | 70,2 |

Il _____ % degli italiani vive vicino alla casa della madre.

In media gli italiani restano nella casa dei genitori fino a _____ anni.

Il _____% delle figlie femmine fa visita alla madre ogni giorno.

Il _____% dei figli maschi fa visita alla madre ogni giorno.

Il _____% dei figli telefona alla madre più volte a settimana.

Ascolta l'intervista e confronta le tue risposte con le informazioni corrette. 67 ◀▶

Segna, tra le parole e le espressioni che seguono (sono in ordine), quelle che compaiono nella registrazione.

☐ figli cronici
☐ famiglia di origine
☐ mammismo

☐ convivenza
☐ figli adulti
☐ ragazza madre

☐ famiglie di fatto
☐ famiglie allargate

A coppie provate a spiegare il significato delle parole e delle espressioni elencate e confrontate poi in plenum.

Completa le affermazioni.

Secondo il professor Frisinghelli:

Gli italiani sono legati alla famiglia di origine
☐ per tradizione.
☐ per motivi economici.

Per tradizione, chi assiste un genitore anziano o malato è quasi sempre
☐ il figlio maschio.
☐ la figlia femmina.

Negli ultimi anni la coppia
☐ è cambiata.
☐ non è cambiata.

15 **E voi?**

A gruppi di tre rispondete alle seguenti domande.

I vostri genitori/figli vivono nella vostra città?

Se sì, dove vivono? Nello stesso quartiere? Nello stesso palazzo?

Quante volte alla settimana o al mese vi vedete?

Quante volte alla settimana telefonate ai vostri genitori/figli?

C'è, secondo voi, una differenza tra i figli maschi e le femmine?

E 11·12

E inoltre...

10

68

1 **Un regalo di nozze**

Ascolta il dialogo e rispondi.

Cosa pensa di regalare Tina ad Alessandra e Rolando?
Come trova Sandra l'idea di Tina?
Cosa propone Sandra a Tina?
Che regalo vuole Tina per il suo matrimonio?

Prova a completare il dialogo con le seguenti espressioni.

| lista di nozze | dei soldi | viaggio di nozze | dei soldi | lista di nozze | anonimo |

▽ Tina, hai già comprato il regalo per Alessandra e Rolando?

◆ No, non ancora, anche perché penso di regalargli _____.

▽ _____? Mah, io lo trovo un po' _____ da parte di un'amica. Scusa, perché non gli prendi qualcosa dalla _____?

◆ Mah, non so, questa abitudine della _____ ...

▽ Sì, va be', però così evitano di ricevere delle cose che non gli piacciono!

◆ Sì, in effetti. Io però quando mi sposo mi faccio regalare i soldi per il _____!

Riascolta e verifica.

Che cos'è la "lista di nozze"?

☐ a. un regalo speciale a sorpresa

☐ b. una lista di regali che piacciono agli sposi

2 **Quale regalo per gli sposi?**

Qual è secondo te il regalo di matrimonio più adatto? Parlane con alcuni compagni anche in base alle tue esperienze personali.

comunicazione e grammatica

Per comunicare

Vivi da solo o con la tua famiglia?
Hai sorelle/fratelli?
Io sono figlio unico/figlia unica.
Sei il/la più giovane?

Sei sposato/-a?
Quante persone siete in famiglia?

Come promesso, ti mando una foto.

Io mi sono sposato/-a.
I miei si sono trasferiti.

Non mi sono riposato per niente.

Quello accanto a me è mio fratello.
La bambina davanti a me è mia nipote.

Tina e Alessandro hanno fatto la lista di nozze.

Grammatica

Gli aggettivi possessivi

Questa è **la** m**i**a scuol**a**.
Quelle sono **le** tu**e** scarp**e** nuove?
Vieni a casa mia, così conosci **la** m**i**a famigli**a**.
Barbara ha portato **il suo** lib**ro**.
Carlo ha portato **le sue** fotografie.
Ti presento mio padre.
Mia sorella è sposata.

Gli aggettivi possessivi concordano in genere e numero con i sostantivi a cui si riferiscono e non con la persona (quando è presente). Essi sono preceduti di solito dal rispettivo articolo determinativo.
*Con i sostantivi della famiglia (**madre**, **padre**, **fratello**, **sorella** ecc.) al singolare non si usa l'articolo determinativo insieme all'aggettivo possessivo. Eccezione: **loro** (il **loro** fratello, la **loro** nonna).*

singolare maschile								singolare femminile						
il mio	il tuo	il suo	il Suo	il nostro	il vostro	il loro	**orologio**	la mia	la tua	la sua	la Sua	la nostra	la vostra	la loro **scuola**

plurale maschile								plurale femminile						
i miei	i tuoi	i suoi	i Suoi	i nostri	i vostri	i loro	**occhiali**	le mie	le tue	le sue	le Sue	le nostre	le vostre	le loro **vacanze**

Il superlativo relativo

La sorella più grande è sociologa.
Il fratello più piccolo studia ancora.

*Il **superlativo relativo** esprime il grado più elevato di una qualità. Si forma nel seguente modo: articolo + sostantivo + **più** o **meno** + aggettivo.*

Il passato prossimo dei verbi riflessivi

Luca **si è** sposat**o**.
Maria **si è** sposat**a**.
Marco e Franco **si sono** trasferit**i**.
Laura e Stefano **si sono** trasferit**i**.
Teresa e Chiara **si sono** trasferit**e**.

*Il **passato prossimo** dei verbi riflessivi si forma con l'ausiliare **essere**. Il participio concorda quindi in genere e numero con il soggetto.*

perché – siccome

Suo marito non lo vedi **perché** ha fatto la foto.

Siccome non ti posso raccontare tutto per lettera, ci devi venire a trovare.

*Quando vogliamo indicare prima la conseguenza e poi la causa possiamo utilizzare **perché**.*

Quando vogliamo indicare prima la causa e poi la conseguenza possiamo utilizzare **siccome**.

'ALMA.tv

Mettiti alla prova. Vai su *www.alma.tv* nella rubrica Linguaquiz e fai il videoquiz "I possessivi".

videocorso

VIDEO

1 L'episodio si intitola "La famiglia della sposa": secondo te, quali di queste cose sono presenti nel video? Fai delle ipotesi poi guarda il video e verifica.

☐ regalo

☐ invito di matrimonio   ☐ pranzo di nozze

☐ lista di nozze   ☐ fiori

☐ vestito da sposa

☐ macchina   ☐ cane

la famiglia della sposa

10

2 Indica le opzioni corrette.

1 Valentina ha incontrato: ☐ il cugino di Laura   ☐ un'amica
2 Valentina mostra a Laura: ☐ un biglietto di auguri   ☐ un invito di nozze
3 Il fratello di Laura: ☐ si è sposato 5 mesi fa   ☐ è sposato da qualche anno
4 La sposa della foto ha: ☐ tre sorelle a New York   ☐ due sorelle sposate e una non sposata
5 Il cugino di Laura: ☐ è biondo e magro   ☐ ha perso i capelli

3 Osserva il fotogramma e indica l'opzione giusta.

> Mah, non è il mio tipo...

Cosa vuole dire Laura con questa frase?
☐ a. Non mi è simpatico.
☐ b. Non è un mio amico.
☐ c. Non mi piace.

RICORDA
Quando si parla di nozze, in Italia si usa anche l'espressione fiori d'arancio, perché un'antica leggenda racconta di una giovane sposa che alle nozze ha messo sui capelli dei fiori d'arancio, in omaggio al padre giardiniere.

4 Ricostruisci una parte del dialogo. Alcune parole non si leggono più bene.

Valentina   Ma che bella, è la foto del matrimonio di tuo fratello, vero?
Laura   Sì. Eh, ormai sono già passati cinque anni da quando è sposato... Tu la moglie non la conosci, vero?
Valentina   No, mai vista. Questa chi è? Sua sorella?
Laura   Sì, una delle tre sorelle: ne ha tre! Questa è più grande, ma è l'unica non sposata. Pensa, ora vive a New York.

5 Completa il dialogo tra Laura e Valentina con gli elementi mancanti.

tu   sua   mi   tuo   sue   nostro   mia

Laura	Allora senti, _____ aspetti due minuti, mi preparo in un attimo e vengo, ok?
Valentina	Nessun problema!
Laura	Pronta! Andiamo con la _____ macchina o con la tua?
Valentina	Ma che bella, è la foto di matrimonio di _____ fratello, vero?
Laura	Sì. Eh, ormai sono già passati cinque anni da quando si è sposato… _____ la moglie non la conosci, vero?
Valentina	No, mai vista. Questa chi è? _____ sorella?
Laura	Sì, una delle _____ sorelle: ne ha tre! Questa è la più grande, ma è l'unica non sposata. Pensa, ora vive a New York.
Valentina	E questo?
Laura	Quello è uno dei testimoni, un _____ cugino che vive a Bologna.

> ➤ **Guarda la videogrammatica dell'episodio**

caffè culturale

Conosci i gesti italiani?

a. *Inserisci nel balloon la frase che il gesto esprime.*

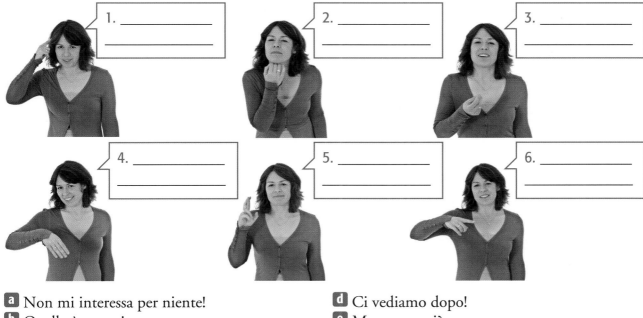

a Non mi interessa per niente!
b Quello è matto!
c Buona fortuna!

d Ci vediamo dopo!
e Ma cosa vuoi?
f È ora di andare.

b. *E nel tuo Paese? Quali sono i gesti per le espressioni del punto **a.**? Ci sono gesti simili che hanno però un significato diverso?*

Gioco

Si gioca in gruppi di 3 - 5 persone con un dado e pedine. A turno i giocatori lanciano il dado e avanzano con la loro pedina di tante caselle quanti sono i punti indicati dal dado.

Se si arriva su una casella gialla, con un prodotto alimentare, bisogna chiederne una certa quantità usando *chilo, bottiglia, etto, tubetto, litro, barattolo, scatola,* ecc.

Se si arriva su una casella verde con i verbi riflessivi, bisogna tirare ancora il dado (il numero indicherà una persona nella lista verde a destra) e poi formare una frase con quel verbo. Se nella casella c'è la sigla

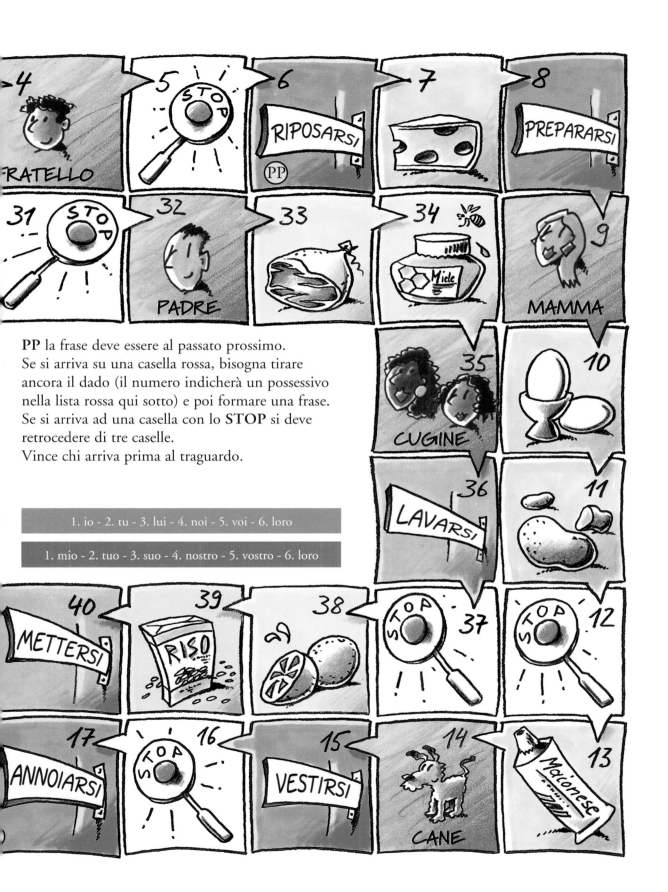

PP la frase deve essere al passato prossimo.
Se si arriva su una casella rossa, bisogna tirare
ancora il dado (il numero indicherà un possessivo
nella lista rossa qui sotto) e poi formare una frase.
Se si arriva ad una casella con lo **STOP** si deve
retrocedere di tre caselle.
Vince chi arriva prima al traguardo.

1. io - 2. tu - 3. lui - 4. noi - 5. voi - 6. loro

1. mio - 2. tuo - 3. suo - 4. nostro - 5. vostro - 6. loro

Bilancio

Dopo queste lezioni, che cosa so fare?

Parlare della mia famiglia	☐	☐	☐
Descrivere una ricetta	☐	☐	☐
Parlare delle mie abitudini alimentari	☐	☐	☐
Parlare del mio lavoro	☐	☐	☐
Parlare di una mia giornata tipo	☐	☐	☐
Fare gli auguri a qualcuno	☐	☐	☐
Fare acquisti in un negozio di abbigliamento	☐	☐	☐
Fare confronti	☐	☐	☐

Cose nuove che ho imparato

10 parole o espressioni che mi sembrano importanti:

Una cosa particolarmente difficile:

Una curiosità sull'Italia e gli italiani:

progetto

Il trailer del videocorso

1. Lavora con un gruppo di 4-5 compagni.

2. Procuratevi una telecamera o un qualsiasi dispositivo che può girare dei filmini.

3. Dovrete preparate un trailer di un minuto per il videocorso di **NUOVO Espresso 1**. Cominciate con lo scrivere un testo da leggere per accompagnare le scene del film (voce fuori campo). Se volete potete scegliere una lezione, un testo o un dialogo del libro come spunto per il vostro video.

4. Dividetevi i ruoli (regista, operatore, attori, ecc.) e girate le scene. Se volete fare il montaggio potete usare un software gratuito come *Videospin*.
5. Quando il video è pronto mostratelo al resto della classe.

...fai il test a pag. 204

✎ esercizi 1

consiglio

> *Scrivi le parole nuove su un quaderno, con una frase come esempio. In un'altra pagina scrivi la traduzione. Ogni tanto rileggi la lista delle parole nuove e cerca di ricordare il significato.*

Esercizi

1

1 Come saluti?

con il "tu"

_____

con il "Lei"

_____

con il "tu"

_____

con il "Lei"

_____

> **INFOBOX**
>
> Quando si dice **"Buongiorno"** e quando si dice **"Buona sera"**? Normalmente si dice **"Buona sera"** dopo le 17.00/18.00 ma in molte città italiane si usa anche dopo le 13.00.

2 Inserisci le parole al posto giusto.

1 ■ _____ sera. Sono Alberta Peci. E _____?

▼ Carli, _____.

Lei   Buona

piacere

2 ■ Buongiorno. Io _____ Sara Patti. E tu _____ ti _____?

▼ Marco _____.

come

Poli   chiami

sono

3 ■ Io _____ _____ Andrea. E _____?

▼ Paola.

chiamo   mi

tu

4 ■ _____, Lei _____ si chiama?

▼ Giovanni De Simone.

■ E _____?

▲ Io mi _____ Roberto Rossi.

chiamo

come

Scusi

Lei

3 Ascolta e scrivi i nomi.

1 _ _ _ _ _ _ _ _ _ _ _ _ _ _

2 _ _ _ _ _ _ _ _ _ _ _ _

3 _ _ _ _ _ _ _ _ _ _ _ _ _ _ _

4 _ _ _ _ _ _ _ _ _ _

5 _ _ _ _ _ _ _ _ _ _ _ _ _ _ _ _

6 _ _ _ _ _ _ _ _ _ _

> **INFOBOX**
>
> Il darsi del "tu" o del "Lei" in Italia varia da regione a regione. A scuola (anche alle superiori) gli insegnanti danno del tu agli studenti.
>
> Nomi: in Italia **Andrea** è un nome maschile, così come **Nicola, Daniele** e **Gabriele**.

4 **Trova la parola nascosta. Sai come si chiama?**
Scrivi le parole giuste nelle caselle e avrai la soluzione.

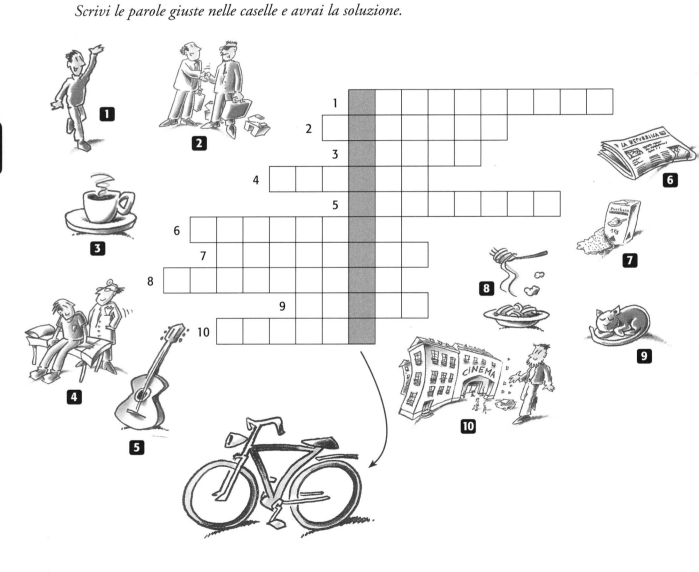

5 Collega le domande con le risposte giuste.

1 Sei tedesca?   **a** Sì, di Barcellona.

2 Di dove sei?   **b** No, sono svizzero.

3 Come ti chiami?   **c** No, sono austriaca.

4 Sei tedesco?   **d** Di Berlino.

5 Sei spagnolo?   **e** Alberto.

6 Qual è il nome delle nazioni?

~~Au~~ – gna   Ger – zera   Ita – mania   Fran – gallo   Spa – lia

Porto – ~~stria~~   Sviz – terra   Irlan – cia   Inghil – da

Austria   _____   _____   _____   _____

_____   _____   _____   _____

7 Questo dialogo è in disordine. Metti le frasi nell'ordine giusto.

A

☐ Lei è il signor Fellini?

☐ No, sono portoghese, e Lei? È italiano?

☐ Sì. Piacere.

B

☐ *Piacere. Lei è spagnola?*

☐ *Sì, e Lei è la signora Rodriguez?*

☐ *Sì, sono di Milano.*

8 Completa le frasi.

1 Io _____ irlandese, di Dublino.

2 Lei _____ francese?

3 _____ Jack Daly. E Lei come _____?

4 Tu _____ svizzera?

5 Come _____?

6 Lei di dov' _____?

è

si chiama   ti chiami

sono   mi chiamo

è   sei

9 Completa il cruciverba.

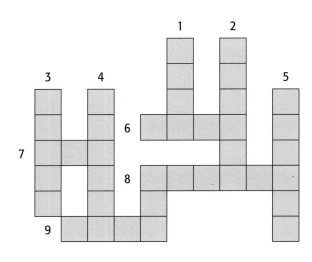

→ **orizzontali**

6 Buona _____ signora!

7 E _____ di dov'è?

8 Come si _____ il tuo nome?

9 Io _____ italiano. E tu di dove sei?

↓ **verticali**

1 Tu di _____ sei?

2 Ciao, sono Valeria, tu come ti _____?

3 Alla prossima _____!

4 Io mi _____ Alberto.

5 Qual è il Suo _____ di telefono?

8 Scusi signora, qual è il _____ indirizzo?

10 Che numeri senti? Ascolta la registrazione e segna i numeri giusti.   12 ◖▶

    3–13   4–14   5–15   6–7   6–16

    11–12   16–17   8–18   9–19   7–17

11 Scegli la forma corretta del verbo *avere.*

1 Maria non **ho/hai/ha** il cellulare.

2 Signore, **ho/hai/ha** un giornale?

3 Tu **ho/hai/ha** un gatto?

4 Io **ho/hai/ha** un cane.

5 Signora, Lei **ho/hai/ha** un cane?

6 Tu non **ho/hai/ha** il cellulare?

Vai su **www.almaedizioni.it/nuovoespresso** e mettiti alla prova con gli **esercizi on line** della lezione 1.

Esercizi

1

12 Il labirinto.

Per uscire dal labirinto parti dal numero 20 e cerca nelle caselle vicine il numero più basso (19), poi 18 ecc. fino a 0. Se avrai fatto tutto bene, le lettere sopra i numeri formeranno una frase.

Partenza

C	F	G	I	O	R	U	G
venti	otto	sei	venti	dieci	tre	sedici	cinque
I	A	H	R	S	T	Z	F
diciannove	diciotto	nove	undici	nove	diciotto	quindici	sette
B	O	P	L	S	I	O	L
due	diciassette	dodici	diciannove	otto	sette	tre	due
D	A	A	M	P	M	V	T
sette	sedici	tredici	uno	diciassette	sei	quattro	uno
E	L	L	N	Q	A	Q	A
dodici	quindici	quattordici	zero	dodici	cinque	quattordici	zero

Arrivo

_ _ _ _ , _ _ _ _ _ _ _ _ _ _ _ _ _ !

13 Esercitiamo la pronuncia.

13 ((►

Ascolta e completa.

_____rmania   buon_____rno   _____o   mac_____na   _____rnale   spa_____tti

pre_____   zuc_____ero   _____tarra   la_____   _____rda   ra_____   pia_____re

arriveder_____   _____co   _____re   fun_____   _____ffè

Alla fine di ogni lezione scrivi su un quaderno tutto quello che sai dire in italiano, così alla fine del corso avrai il tuo personale "libro di italiano".

consiglio

14 Ricapitoliamo.

Presentati e scrivi come ti chiami, di dove sei, che nazionalità e che numero di telefono hai.

✎ esercizi 2

1 Separa le lettere e metti la punteggiatura. Avrai 6 mini-dialoghi.

1. Comestainonc'èmaleetu — Come stai? Non c'è male. E tu?
2. Ciaocomevabenissimograzie — _____
3. ComestasignorabenegrazieeLei — _____
4. Questo è Ugounmioamicomoltolieto. — _____
5. Paoloparlainglesesìmoltobene — _____
6. LepresentoilsignorBlasipiacereMonti — _____

2 Completa.

maschile	femminile
un mio amico	_____
_____	la signora Vinci
spagnolo	_____
_____	portoghese
molto lieto	_____
_____	questa

> **INFOBOX**
>
> **Piacere – molto lieto:** quando ci si presenta, si risponde con **"piacere"**, che è una forma neutra molto in uso anche tra i giovani, o con **"molto lieto"**, **"molto lieta"**, che sono espressioni usate in situazioni molto più formali.

3 Inserisci gli articoli.

1. Questa è Paloma, ___ mia amica di Madrid.
2. Lei è ___ signora Ghezzi.
3. Monica non parla ____ spagnolo.
4. Io non parlo bene ___ inglese.
5. Questo è Jean, ___ mio amico francese.
6. Le presento ____ signor Dini.
7. Simona parla ___ tedesco molto bene.

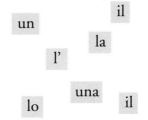

un   il   la   l'   lo   una   il

Esercizi

2

Impara direttamente i nomi insieme agli articoli.

consiglio

4 **Combina le parole dei quattro gruppi e fai delle frasi.**

Noi	sono	di	la segretaria.
Teresa	abito	a	Berlino.
Io	fa	-	una scuola.
Hans	è	-	Bologna.
Carlo e Serena	lavoriamo	in	avvocati.

5 **Completa il testo con le parole mancanti.**

Teresa e Maddalena sono _____ Napoli, ma abitano _____ Bologna. Teresa _____
la segretaria in _____ scuola di lingue. Maddalena _____ impiegata in _____ agenzia
pubblicitaria. Piero invece lavora in _____ studio fotografico.

6 **Rispondi alle domande.**

Carlo Mari · Torino · architetto   *Jane Taylor* · Liverpool · segretaria
Colette Petit · Parigi · insegnante   *Manolo Sanchez* · Siviglia · studente

1 Dove abita il signor Mari? _____
2 La signora Taylor è insegnante? _____
3 Jane è tedesca? _____
4 Di dov'è Manolo? _____
5 Che lavoro fa il signor Mari? _____
6 Manolo lavora? _____
7 Colette lavora? _____
8 Chi lavora in una scuola? _____

Esercizi

2

In italiano i nomi delle professioni hanno spesso forme uguali per il maschile e per il femminile, per es. **medico, sindaco, architetto**, ecc. Per alcuni lavori non c'è una denominazione specifica, in questo caso si usa descrivere la propria attività, per es. **lavoro in una banca, lavoro in una libreria**.

7 Scrivi le parole vicino agli articoli giusti.

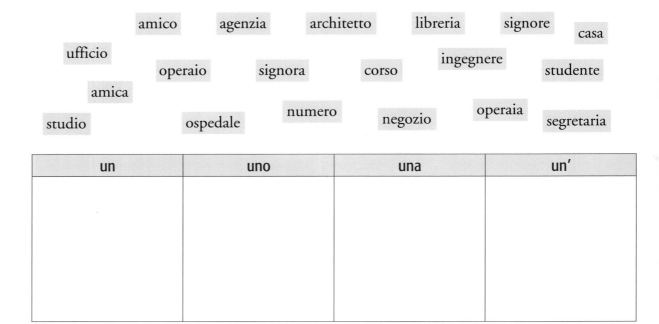

amico   agenzia   architetto   libreria   signore   casa
ufficio   operaio   signora   corso   ingegnere   studente
amica   numero   operaia
studio   ospedale   negozio   segretaria

un	uno	una	un'

8 Quale parola va bene?

abitate   lavoro   abitiamo   siete
fa   lavora   sta   sono   sono

1 Che lavoro _____ Antonella?

2 Come _____, signora De Cecco?

3 Elena _____ in un'agenzia pubblicitaria.

4 Noi _____ a Torino

5 Voi _____ a Napoli?

6 Io _____ segretaria, _____ in una scuola.

7 Floriana e Maddalena _____ di Palermo.

8 _____ tedeschi?

Esercizi

2

9 **Dove lavorano queste persone? Scrivi i nomi dei posti di lavoro nelle caselle giuste.**

1 infermiera ☐
2 cuoco ☐
3 operaio ☐
4 farmacista ☐
5 insegnante ☐
6 commessa ☐

Vai su www.almaedizioni.it/nuovoespresso e mettiti alla prova con gli **esercizi on line** della lezione 2.

10 **Completa le frasi.**

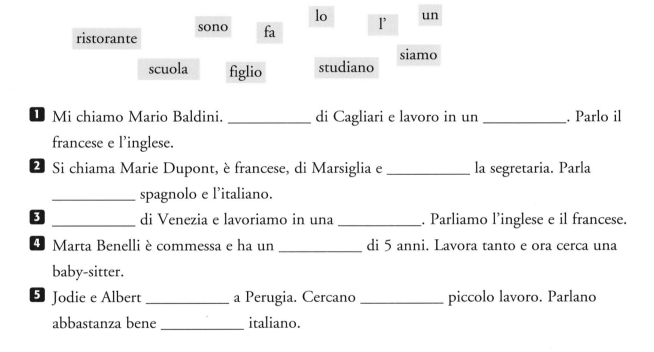

lo   l'   un
sono   fa
ristorante
siamo
scuola   figlio   studiano

1 Mi chiamo Mario Baldini. _____ di Cagliari e lavoro in un _____. Parlo il francese e l'inglese.

2 Si chiama Marie Dupont, è francese, di Marsiglia e _____ la segretaria. Parla _____ spagnolo e l'italiano.

3 _____ di Venezia e lavoriamo in una _____. Parliamo l'inglese e il francese.

4 Marta Benelli è commessa e ha un _____ di 5 anni. Lavora tanto e ora cerca una baby-sitter.

5 Jodie e Albert _____ a Perugia. Cercano _____ piccolo lavoro. Parlano abbastanza bene _____ italiano.

Per associazioni si impara meglio. Pensa ai tuoi amici e conoscenti. Associa il loro nome al nome italiano della loro professione (per es. Paul è architetto).

consiglio

Esercizi

2

11 **Come si leggono i numeri di telefono? Ascolta la registrazione e segna il numero giusto.**

Ada Bianchi	☏	12 81 3 26	☐	12 81 32 6	☐
Lucia Mannucci	☏	81 40 89	☐	81 4 0 89	☐
Piero Marchi	☏	68 18 1 24	☐	6 8 18 1 24	☐
Stefano Rosi	☏	93 3 21 7	☐	9 3 3 2 1 7	☐

12 **Scrivi i numeri in lettere.**

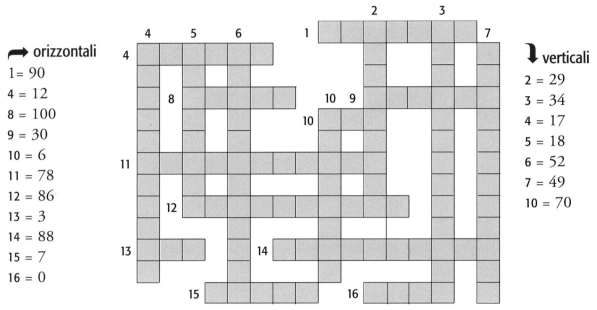

➡ **orizzontali**

1 = 90
4 = 12
8 = 100
9 = 30
10 = 6
11 = 78
12 = 86
13 = 3
14 = 88
15 = 7
16 = 0

⬇ **verticali**

2 = 29
3 = 34
4 = 17
5 = 18
6 = 52
7 = 49
10 = 70

13 **Inserisci gli interrogativi al posto giusto e poi collega le domande con le risposte.**

1 _____ è Igor?   **a** Via Verdi 17.

2 _____ anni hai?   **b** L'italiano e il greco.

3 _____ sei?   **c** In un'agenzia pubblicitaria.

4 _____ lingue parli?   **d** Giuseppe.

5 _____ stai?   **e** Di Palermo.

6 _____ lavorate?   **f** Un mio amico di Mosca.

7 _____ ti chiami?   **g** Non c'è male, grazie.

8 _____ è il tuo indirizzo?   **h** 48.

Qual   Chi   Come   Che   Dove   Quanti   Come   Di dove

Esercizi **2**

14 Che dite...

1 quando incontrate un amico.
2 per ringraziare.
3 quando conoscete una persona nuova.
4 quando non avete capito bene qualcosa.
5 quando andate via.

> Grazie   Arrivederci
>
> Come va?   Come, scusi?
>
> Piacere

15 Esercitiamo la pronuncia.

22 ((▶

Ascolta la registrazione e fai attenzione alla pronuncia. Poi ripeti le frasi.

Buona sera signora, come sta?

Il signor Santi ha sessantasei anni.

Sandro e Sofia sono a Salerno.

Scusi, Lei parla lo spagnolo?

Siamo qui a scuola per studiare l'italiano.

Senti, tu sei svizzero o tedesco?

Io sono di Sondrio e tu di dove sei?

Stefano ha sedici anni.

16 Intonazione.

23 ((▶

Domanda o affermazione? Ascolta le frasi e inserisci un punto interrogativo (?)

o un punto (.). Poi ascolta una seconda volta e ripeti con la giusta intonazione.

1 Franco parla bene il tedesco
2 Lara è di Merano
3 Questo è Guido
4 Maria non è portoghese
5 Hans è di Vienna
6 La signora Rossetti non sta bene
7 Lei è irlandese
8 Sei tedesco

17 Ricapitoliamo.

Cosa sai raccontare di te stesso in italiano alla fine di questa lezione?

Scrivi che lavoro fai, dove abiti, quanti anni hai...

✎ test 1

1 Collega i disegni alle battute.

1

2

3

☐ ■ Buongiorno signora.
▼ Buongiorno.

☐ ■ Buonasera, sono Ugo Rea.
▼ Piacere, Antonio Dominici.

☐ ■ Arrivederci professore.
▼ Arrivederci.

Ogni abbinamento corretto 3 punti   Totale: _____ / 9

2 Completa le battute con le due espressioni corrette.

di dove sei   di dov'è

■ Io sono italiano, e tu, _____?   ▼ Io sono argentino, e Lei, _____?

Ogni espressione al posto giusto 3 punti   Totale: _____ / 6

3 Completa il dialogo con i verbi.

chiama   chiamo   è   è   ha   scrive   sono

■ Lei _____ italiano?
▼ Sì sì, _____ italiano.
■ Come si _____?
▼ Mi _____ Carlo Ghisolfi.
■ Come si _____?

▼ Gi, acca, i, esse, o, elle, effe, i.
■ Qual _____ il suo indirizzo?
▼ Via XX Settembre 328.
■ Lei _____ un cellulare?
▼ Sì. Il numero è 3290023498.

Ogni verbo al posto giusto 2 punti   Totale: _____ / 14

4 Collega le domande alle risposte.

Chi è Luisa?
Che lingue parli?
Che lavoro fai?
Dove lavori?
Quanti anni hai?
Qual è il Suo indirizzo?

È una mia amica.
In un ristorante.
L'inglese e il francese.
La farmacista.
Piazza Rovereto 7.
Ventisei.

Ogni risposta al posto giusto 3 punti   Totale: _____ / 18

Test 1

5 **Trasforma il dialogo da informale a formale.**

■ <u>Tu</u> <u>sei</u> di qui?

▼ No, sono di Roma E <u>tu</u>, di dove <u>sei</u>?

■ Io sono di Napoli. E cosa <u>fai</u> a Firenze? <u>Lavori</u>?

▼ Sì, faccio la cuoca in un ristorante.

■ Ah, che bello!

▼ Sì, molto. E <u>tu</u> dove <u>lavori</u>?

■ Io sono architetto!

▼ <u>Lei</u> _____ di qui?

■ No, sono di Roma E <u>Lei</u>, di dove _____?

▼ Io sono di Napoli. E cosa _____ a Firenze? _____?

■ Sì, faccio la cuoca in un ristorante.

▼ Ah, che bello!

■ Sì, molto. E <u>Lei</u> dove _____?

▼ Io sono architetto!

> *Ogni trasformazione corretta 3 punti   Totale: ____ / 15*

6 **Completa i testi con gli articoli determinativi singolari sulle righe _____ e con gli articoli indeterminativi sulle righe _____.**

Marisa Rossini
Ciao, mi presento. Mi chiamo Marisa e parlo bene _____ inglese e _____ spagnolo (e _____ italiano… ☺). Abito a Bologna e lavoro in banca. _____ mia famiglia è a Palermo e sono sola. Cerco _____ camera in affitto.

👍 **Mi piace - Commenta - Segui post - Condividi** - 12 minuti fa

Claudia Giammaria
Ciao Marisa, io abito vicino Bologna con _____ mia famiglia e abbiamo _____ stanza libera. Mia figlia studia _____ spagnolo. Ti invio _____ messaggio privato con _____ mio numero di telefono.

👍 **Mi piace** - 3 minuti fa

> *Ogni articolo corretto 2 punti   Totale: ____ / 20*

7 **Scrivi i nomi dei mestieri al maschile o al femminile.**

maschile	*femminile*	*maschile*	*femminile*
avvocato	_____	cuoco	_____
_____	giornalista	insegnante	_____
_____	farmacista	operaio	_____
_____	commessa	_____	impiegata
infermiere	_____		

> *Ogni parola corretta 2 punti   Totale: ____ / 18*

> *Totale test: ____ / 100*

✎ esercizi 3

> *Visualizzare le parole aiuta a ricordarle meglio. Perciò cerca di collegare le parole a delle immagini oppure ad un movimento, ad un rumore, ad un colore, ecc.*
>
> **consiglio**

1 Cruciverba.

Si lascia al cameriere prima di andare via. Cos'è?
Scrivi le parole giuste nelle caselle ed avrai la soluzione.

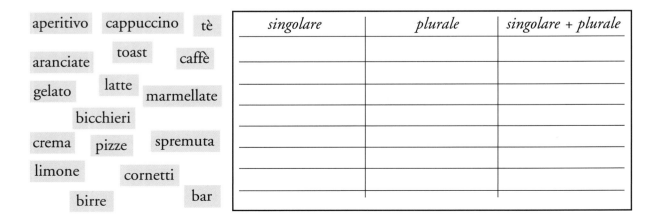

2 Quali sono le espressioni per fare un'ordinazione?

☐ Faccio il…   ☐ Le presento…

☐ Io mi chiamo…   ☐ Per me invece…

☐ Io prendo…   ☐ Piacere…

☐ Io vorrei…   ☐ Scusi, mi porta ancora…

3 Quali di queste parole sono singolari, quali plurali e quali possono essere singolari o plurali?

aperitivo   cappuccino   tè
toast   caffè
aranciate
gelato   latte   marmellate
bicchieri
crema   pizze   spremuta
limone   cornetti
birre   bar

singolare	plurale	singolare + plurale

Esercizi

3

4 Completa le frasi con il verbo *prendere* sulle righe _____ e con l'articolo indeterminativo sulle righe _____.

1 Noi _____ _____ aranciata e _____ spremuta di pompelmo.

2 Franco _____ _____ bicchiere d'acqua minerale.

3 Anche voi _____ _____ pizza?

4 Anch'io _____ _____ cappuccino e _____ cornetto.

5 E tu che cosa _____? _____ tè o _____ caffè?

6 Loro _____ _____ aperitivo e _____ birra.

5 Ordina le forme verbali.

infinito	_____	_____
io	_____	_____
tu	_____	_____
lui, lei, Lei	_____	_____
noi	_____	_____
voi	_____	_____
loro	_____	_____

preferiamo
volete
preferisco
voglio
preferisci
vogliono
vuole
preferire
volere
preferiscono
vogliamo
preferisce
preferite
vuoi

6 Completa con *volere* e *preferire*.

1 Oggi (*io-volere*) _____ andare in trattoria.

2 Giulia e Federica (*preferire*) _____ mangiare solo un panino.

3 Con il pollo noi (*preferire*) _____ bere un vino rosso.

4 (*Volere*) _____ il menù, signora?

5 (*voi-Volere*) _____ il gelato o il caffè?

6 Signora, (*preferire*) _____ gli spaghetti o le tagliatelle?

7 Roberto, (*volere*) _____ solo un primo?

8 Io (*preferire*) _____ bere una minerale gasata.

Vai su **www.almaedizioni.it/nuovoespresso** e mettiti alla prova con gli **esercizi on line** della lezione 3.

7 Completa con gli articoli determinativi.

Bene. Siamo pronti per ordinare. Tutti voi prendete

_____ antipasto, solo io no. Come primo Sabrina prende _____

lasagne, Francesca _____ spaghetti al pomodoro, io _____

risotto ai funghi e Matteo _____ tortellini in brodo. Come

secondo io e Francesca prendiamo _____ cotoletta, Matteo

_____ arrosto e Sabrina niente. Contorni: per me _____

patatine fritte, per Matteo e Francesca _____ peperoni alla griglia.

Sabrina prende _____ purè e _____ insalata mista.

8 Completa lo schema.

singolare	*plurale*
il gelato	___ _____
___ _____	le minestre
l' _____	gli affettati
lo strudel	___ _____
il bicchiere	___ bicchieri
___ caffè	i _____
___ bar	i _____
___ antipasto	___ antipasti
la fragola	___ _____
___ _____	___ pesci

I nomi in -a hanno il plurale in ____.

I nomi in -o ed -e hanno il plurale in ____.

I nomi che terminano in consonante o con sillaba finale accentata

hanno il plurale _____.

> *Cerca sempre di arrivare da solo ad una regola grammaticale,
> perché così la ricordi meglio, ed imparala subito con un esempio.*

consiglio

9 Al ristorante.

Completa con i verbi della lista.

avete	prende	prendo	vorrei	vuole

- ■ Scusi.
- ▼ Buongiorno signora, _____ il menù?
- ■ No, grazie, _____ solo un secondo.
  Cosa _____?
- ▼ Arrosto di vitello, pollo allo spiedo o sogliola.
- ■ Va bene. _____ la sogliola.
  E un'insalata verde per favore.
- ▼ Bene. E da bere?
- ■ Un quarto di vino bianco.
- ▼ _____ ancora qualcos'altro?
- ■ Sì, mezza minerale.
- ▼ Gasata?
- ■ No, naturale.

10 Quale parola non appartiene alla serie?

1 coltello / aceto / forchetta / cucchiaio

2 tovagliolo / pepe / sale / olio

3 pane / pizza / toast / aperitivo

4 cappuccino / caffè / tè / gelato

5 purè / insalata / macedonia / spinaci

11 Quale forma è quella giusta?

bene	buono	buona	buoni	buone

1
- ■ Ancora qualcosa?
- ▼ No, grazie, va _____ così.

2
- ■ La pizza è _____?
- ▼ Sì, grazie.

3
- ■ Come sono gli spaghetti?
- ▼ Molto _____.

4
- ■ _____ sera signora, come sta?
- ▼ _____, grazie, e Lei?

5
- ■ Mangiamo qui?
- ▼ No, questo ristorante non è _____.

6
- ■ Come primo abbiamo le lasagne,
  sono molto _____.
- ▼ Va _____, allora prendo le lasagne.

12 Un annuncio.

Completa la pubblicità del ristorante con le parole della lista.

```
TRATTORIA PANE E VINO
        Cucina _____
Specialità: _____ fatta in casa
       Locale _____
Giorno di chiusura: _____
        _____ del giorno €20
```

domenica   pasta

climatizzato

Menù   tipica

13 Esercitiamo la pronuncia.

a. Ripeti le parole facendo attenzione alla differenza fra i suoni ʧ e ʤ.

29 ◀))▶

ʧ	ʤ
mancia	mangiare
per piacere	gelato
amici	Gigi
ghiaccio	giorno
cappuccino	Luigi
cucina	cugina

b. Ascolta le parole e segna con una X il suono che senti.

30 ◀))▶

	ʧ	ʤ		ʧ	ʤ
1	☐	☐	**6**	☐	☐
2	☐	☐	**7**	☐	☐
3	☐	☐	**8**	☐	☐
4	☐	☐	**9**	☐	☐
5	☐	☐	**10**	☐	☐

> ### INFOBOX
> Quando andate al ristorante dovete fare attenzione ad alcune cose. 1. Dopo pranzo ordinate un caffè, non un **cappuccino**. 2. Per pagare il conto, di solito gli italiani fanno "**alla romana**": cioè dividono il conto in parti uguali. 3. Ricordate che la mancia non è obbligatoria; se volete, potete lasciare qualcosa sul tavolo prima di andare via.

14 Ricapitoliamo.

Sei in un locale italiano e vuoi bere e mangiare qualcosa. Scrivi come faresti l'ordinazione.
Se vuoi un pasto completo, cosa ordini?
Come chiami il cameriere per chiedere qualcos'altro o per avere il conto?

esercizi 4

1 **Collega le parti di sinistra con quelle di destra.**

1 Franco guarda   **a** in bicicletta.
2 Nicola va   **b** sempre a casa.
3 Alessia legge   **c** sport.
4 Matteo dorme   **d** un libro.
5 Federica sta   **e** a lungo.
6 Paola fa   **f** la TV.

Federica

2 **Completa lo schema.**

dormire	giocare	leggere	andare
_____	_____	leggo	_____
dormi	giochi	leggi	vai
_____	_____	_____	_____
_____	_____	leggiamo	_____
dormite	giocate	_____	andate
dormono	giocano	_____	_____

a Confronta le coniugazioni di *dormire*, *giocare* e *leggere*. Sono uguali? Quali sono le differenze?
b Guarda il verbo *giocare*: come è scritto?
c Ripeti il verbo *leggere*: com'è la pronuncia?

3 **Completa i dialoghi con i verbi.**

1 ■ Dario, (*stare*) _____ a casa il fine settimana?
▼ No, di solito (*fare*) _____ una passeggiata o (*andare*) _____ in bicicletta.

2 ■ Cosa fa Arianna nel tempo libero?
▼ Dopo il lavoro lei (*fare*) _____ sempre sport: (*andare*) _____ in bicicletta o (*giocare*) _____ a tennis.

3 ■ Mario e Francesco oggi (*giocare*) _____ a carte?
▼ Sì, e poi (*andare*) _____ al cinema.

4 ■ Tu (*fare*) _____ molto sport nel tempo libero?
▼ No, io (*stare*) _____ quasi sempre a casa: (*leggere*) _____, (*ascoltare*) _____ musica o (*lavorare*) _____ in giardino.

4 Completa il cruciverba.

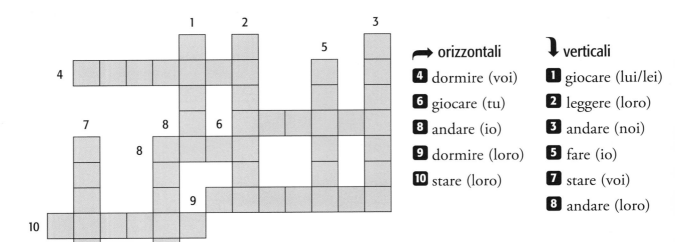

→ **orizzontali**

4 dormire (voi)
6 giocare (tu)
8 andare (io)
9 dormire (loro)
10 stare (loro)

↓ **verticali**

1 giocare (lui/lei)
2 leggere (loro)
3 andare (noi)
5 fare (io)
7 stare (voi)
8 andare (loro)

5 *Giocare* o *suonare*?

Completa le frasi con i verbi giocare *o* suonare.

1 Nel tempo libero Adam _____ uno strumento.

2 Tu _____ il basso?

3 (noi) _____ spesso a carte.

4 Nel tempo libero (io) _____ a calcio.

5 Qualche volta Silvio e Luciana _____ a tennis.

6 Voi _____ il pianoforte?

6 Quante volte esci?

Completa le frasi con il verbo uscire *e numerale per frequenza (da 1= sempre a 5= mai),
come nell'esempio.*

1 ☐ Lucia non _____ mai dopo le dieci.

2 ☐ Matteo e Roberta _____ sempre la sera.

3 ☐ Tu _____ qualche volta con Antonio, vero?

4 ☐ Voi _____ spesso?

5 4 Noi non _____ quasi mai con Stefano e Barbara.

6 ☐ Qualche volta (io) _____ con mia madre per fare shopping insieme.

7 Completa le frasi con i verbi della lista.

1 La domenica mattina _____ volentieri una passeggiata.

2 _____ studiare la lingua italiana.

3 Nel tempo libero _____ in piscina.

4 _____ le canzoni di Jovanotti.

5 _____ il portoghese per lavoro.

6 A Giulia non _____ studiare.

Vai su www.almaedizioni.it/nuovoespresso e mettiti alla prova con gli **esercizi on line** della lezione 4.

studio	faccio	mi piacciono
mi piace	piace	vado

8 Completa le frasi con il verbo *piacere*.

1 Mi _____ molto i balli sudamericani.

2 A Paolo non _____ la musica classica.

3 Ti _____ ballare?

4 A Luciana _____ uscire con le amiche.

5 A Giorgio e a Beatrice _____ i libri di fantascienza.

6 Il corso d'italiano a noi _____ molto.

7 Ti _____ le canzoni italiane?

9 Trasforma le frasi alla forma negativa, come nell'esempio. Fai attenzione alla posizione della negazione.

A me piacciono i fumetti.
A me non piacciono i fumetti.

Mi piace la birra.
Non mi piace la birra.

1 A Patrizia piace ballare.

2 A te piace Pavarotti?

3 Ti piace l'arte moderna?

4 A me piacciono i libri di fantascienza.

5 Mi piace cucinare.

6 A Lei piace l'opera?

7 Le piacciono i film italiani?

8 A noi piace fare sport.

10 Scusi, sa che ore sono?

36 ((►

Ascolta e collega ogni orologio al dialogo corrispondente.

☐   ☐   ☐   ☐

Esercizi

4

11 Completa i dialoghi con le preposizioni.

■ Fabio, sei _____ Torino?

▼ No, abito qui _____ Torino, ma sono _____ Milano.

■ Che lavoro fai?

▼ Insegno _____ una scuola _____ lingue.

■ Cosa fai nel tempo libero?

▼ Mi piace uscire _____ gli amici o andare _____ ballare. Ma gioco anche _____ tennis e la domenica vado _____ bicicletta.

■ Anche a me piace giocare _____ tennis, ma _____ il computer!

> **INFOBOX**
>
> Bicicletta o no? L'uso della **bicicletta** in Italia è meno frequente che in molti altri Paesi europei, a parte alcune zone di pianura del nord (Lombardia, Emilia, Veneto). Qui ci sono molte **piste ciclabili** e anche le agenzie di viaggio offrono spesso escursioni guidate in bicicletta.

12 Esercitiamo la pronuncia.   37)

a. Ascolta e ripeti le parole, facendo attenzione a come si pronunciano e a come si scrivono.

Guido – fun**ghi**	**qui** – **chi**
lin**gua** – yo**ga**	**qua**nto – **ca**ntante
guardare – impie**ga**to	cin**que** – an**che**
	a**cqua** – a**cca**

b. Prova a scrivere le frasi che senti.   38)

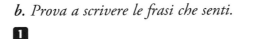

1 _____

2 _____

3 _____

4 _____

5 _____

13 Ricapitoliamo.

Scrivi dei tuoi hobby, delle tue preferenze, delle cose che non ti piacciono: cosa ti piace fare il fine settimana o nel tempo libero? C'è qualcosa che fai spesso o solo qualche volta o che non fai mai? Se vuoi, puoi anche parlare dei tuoi amici o conoscenti.

✎ esercizi 5

Se classifichi le parole in ordine tematico, è più facile ricordarle. Scrivi tutte le parole relative ad un argomento (es. cibi, bevande...).

consiglio

1 L'albergo ideale.

Completa il testo con le parole rappresentate nei disegni.

Villa Carlotta

Tra il Giardino di Boboli e Palazzo Pitti. Camere con _____

e _____ , telefono, TV satellitare, _____ e _____ .

Giardino. Ristorante. Cucina toscana e internazionale. _____ privato.

_____ . _____ : €240 _____ : €170.

2 Le lettere della coniugazione di *potere* sono in disordine. Rimettile nell'ordine giusto.

io	_____	noi	_____
tu	_____	voi	_____
lui, lei, Lei	_____	loro	_____

upò	upoi	mossiapo
sospo	tepote	sonospo

3 Chi lo dice?

Unisci le parti della domanda. Scrivi una C vicino alle domande del cliente e una R vicino a quelle del receptionist, come nell'esempio.

ℝ Desidera una camera con...	... può mandare una mail?
☐ Avete ancora...	... c'è la connessione Wi-Fi?
☐ Quanto...	... o senza bagno?
☐ A che nome...	... c'è il garage?
☐ Nella camera...	... scusi?
☐ Nell'albergo...	... una singola per questa sera?
☐ Per la conferma...	... viene la camera?

4 Cruciverba.

È un tipo di albergo. Scrivi le parole giuste nelle caselle ed avrai la soluzione.

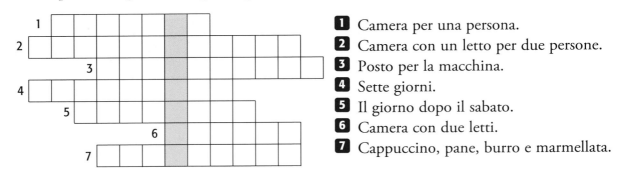

1 Camera per una persona.
2 Camera con un letto per due persone.
3 Posto per la macchina.
4 Sette giorni.
5 Il giorno dopo il sabato.
6 Camera con due letti.
7 Cappuccino, pane, burro e marmellata.

5 Quali parole formano una coppia?

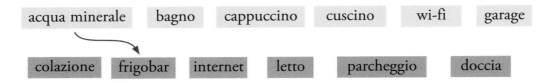

acqua minerale   bagno   cappuccino   cuscino   wi-fi   garage

colazione   frigobar   internet   letto   parcheggio   doccia

6 Buongiorno, senta...

Inserisci le parole della lista nelle battute corrispondenti, come nell'esempio.

■ Villa, buongiorno.   Carlotta

▼ Buongiorno. Senta, avete una camera per prossimo fine settimana?   il

■ Un attimo, per favore. Dunque... sì, c'è matrimoniale. Va bene?   una

▼ Sì.

■ E... da venerdì o da sabato?

▼ No, venerdì non venire, quindi solo sabato e domenica.   posso

■ Quindi da sabato 23 a domenica 24 giugno. Sola notte. Perfetto.   una

■ Senta, mi dire quanto viene la stanza?   può

▼ Allora, matrimoniale viene 120 a persona, quindi 240 euro, colazione   la

compresa.

7 Completa con *c'è* o *ci sono*.

1. In tutte le camere _____ l'aria condizionata.
2. All'hotel Aurora non _____ camere libere.
3. Qui vicino _____ un ristorante tipico.
4. Nella camera 27 _____ tre letti.
5. Non abbiamo il garage, ma _____ un parcheggio.
6. Per giovedì _____ solo una matrimoniale libera.

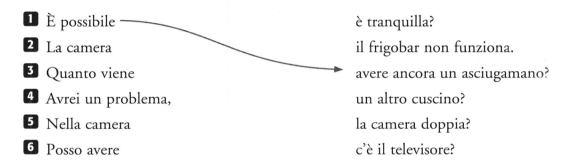

Scusi, c'è l'aria condizionata?

8 Collega le parti di sinistra con quelle di destra e ricostruisci le frasi, come nell'esempio.

1. È possibile   è tranquilla?
2. La camera   il frigobar non funziona.
3. Quanto viene   avere ancora un asciugamano?
4. Avrei un problema,   un altro cuscino?
5. Nella camera   la camera doppia?
6. Posso avere   c'è il televisore?

INFOBOX

In Italia i turisti hanno molte **possibilità per dormire**. Ci sono alberghi o hotel di diverse categorie, motel, pensioni e locande (piccoli alberghi dove è possibile gustare le specialità locali). In campagna si trovano molte aziende agrituristiche, per chi ama la vita a contatto con la natura. Alcune case di religiosi (per es. i monasteri) affittano camere anche ai turisti di passaggio.

---

9 Completa le frasi con i verbi *venire* o *potere*.

1. ■ Carlo, _____ venire?
   ▼ Sì, _____ subito.

2. ■ _____ anche Lucia e Paola con noi?
   ▼ No, loro non _____ venire.

3. ■ Anna non _____ a scuola oggi?
   ▼ No, non _____ venire, non sta bene.

4. ■ Signor Giannini, _____ al bar con noi?
   ▼ Sì, con piacere!

5. ■ Mi scusi, _____ portare ancora un po' di zucchero?
   ▼ Certo!

> *Non è possibile tradurre letteralmente le preposizioni.*
> *Per ricordarle cerca di impararle insieme ad una parola o in una frase.*

consiglio

10 Preposizione + articolo = preposizione articolata.

a + il
da + il
in + il
in + la
in + l'
su + il

nel   dal

al   nella   sul

nell'

11 Ciao Lucia.

Completa con le preposizioni articolate e con i verbi.

Ciao Lucia,

sono in Sardegna. La casa è bellissima. (*In + la*) _____ camera da letto c'è un

armadio molto grande, dove (*potere*) _____ mettere tutti i miei vestiti estivi e

(*da + la*) _____ finestra vedo il tramonto! La sera (*potere*) _____ mangiare

(*in + il*) _____ terrazzo, che è proprio (*su + il*) _____ mare, una meraviglia!

A presto.

Carla

12 Completa adesso le frasi con le preposizioni articolate dell'esercizio 10.

1 _____ bagno manca un asciugamano.

2 _____ camera 36 non c'è il televisore.

3 Quante camere ci sono _____ appartamento?

4 _____ prezzo è compresa la colazione.

5 La casa è a pochi metri _____ mare.

6 Andiamo _____ ristorante?

7 Avete ancora una camera con vista _____ mare?

13 Una mail.

Completa la mail con le parole mancanti.

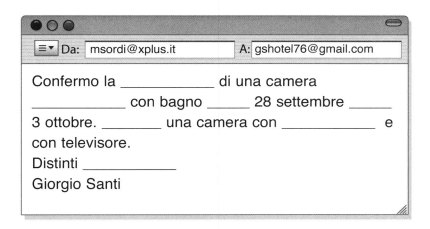

Da: msordi@xplus.it   A: gshotel76@gmail.com

Confermo la _____ di una camera _____ con bagno _____ 28 settembre _____ 3 ottobre. _____ una camera con _____ e con televisore.
Distinti _____
Giorgio Santi

dal

singola

prenotazione

al

vorrei

balcone

saluti

INFOBOX

Negli alberghi italiani di solito la **colazione** è compresa nel prezzo. La connessione **Wi-Fi** a internet qualche volta è compresa, ma altre volte si paga a parte.

---

14 Esercitiamo la pronuncia.

44 ((►

a. Ripeti le parole facendo attenzione a come si pronunciano e a come si scrivono.

bagno – anno   lasagne – panna   tovaglia – Italia
Sardegna – gennaio   bottiglie – mille   voglio – olio
montagna – Anna   famiglia – tranquilla   giugno – luglio

b. Chiudi il libro, ascolta un'altra volta l'esercizio e scrivi le parole su un foglio.

15 Ricapitoliamo.

Scrivi a un albergo per prenotare una camera. Di' come la vuoi.

Vai su **www.almaedizioni.it/nuovoespresso** e mettiti alla prova con gli **esercizi on line** della lezione 5.

✎ test 2

1 Scegli la forma corretta.

Nome: Yoshiko **Cognome:** Ikeda
Età: 27 **Paese:** Giappone
Professione: cantante lirica

Io **studio / studia** l'italiano perché **sono / è** una cantante lirica. Però **mi piace / mi piacciono** anche i cantanti pop, come Jovanotti, Zucchero e Tiziano Ferro. Sono molto bravi e **cantiamo / cantano** molto bene. **Mi piace / Mi piacciono** anche cucinare piatti italiani, come gli spaghetti alla carbonara o il risotto alla milanese! ☺ Io **lavora / lavoro** a Tokyo in una scuola che **offro / offre** lezioni d'italiano. Vorrei corrispondere con italiani che **studiate / studiano** il giapponese.

> *Ogni forma corretta 2 punti   Totale: _____ / 16*

2 Collega le parti di sinistra con quelle di destra e completa le frasi con i verbi al presente.

1 Buongiorno signora,

2 Io e mio marito non amiamo il cinema,

3 Io di solito il fine settimana

4 Ogni mese compro un libro a mia figlia,

5 Questa camera è troppo cara,

6 Voi a che ora

a per questo (*leggere*) _____ molto.

b (*preferire*) _____ il teatro.

c (*uscire*) _____ da casa?

d (*andare*) _____ al mare.

e (*venire*) _____ 150 euro.

f (*volere*) _____ il menù?

> *Ogni collegamento e ogni verbo corretti 2 punti   Totale: _____ / 24*

3 Completa il dialogo con gli articoli determinativi.

▼ Cosa prendete?

■ Allora, io non prendo _____ antipasto, quindi solo due antipasti misti. Poi, come primo, per me _____ spaghetti al ragù e per mia moglie _____ penne all'arrabbiata. Per mio figlio porta direttamente _____ secondo: _____ cotoletta alla milanese con _____ patate fritte.

▼ Voi prendete un secondo?

■ Io vorrei _____ arrosto di vitello. Per mia moglie _____ sogliola.

▼ Va bene.

■ Ah, senta, anche un piatto di spinaci.

▼ Purtroppo _____ spinaci sono finiti. Abbiamo _____ insalata di pomodori.

■ Va bene, grazie.

> *Ogni articolo corretto 2 punti   Totale: _____ / 20*

4 Inserisci gli interrogativi della lista al posto giusto.

che cosa   quali   quante   perché   quanto

1
■ Buona sera signori, avete una prenotazione?
▼ Sì.
■ Per _____ persone?
▼ Due.

2
■ Bene. _____ prendete? Volete un antipasto?
▼ No grazie. _____ primi avete?
■ Un momento, vi porto il menù.

3
■ _____ studi l'inglese?
▼ Per lavoro.

4
■ Buonasera, vorrei un'informazione.
▼ Sì, mi dica.
■ _____ viene il biglietto del concerto di domani?
▼ 42 euro.

Ogni interrogativo corretto 2 punti   Totale: _____ / 10

5 Completa le frasi con i pronomi mancanti.

		Pronomi tonici	*Pronomi atoni*
Io	→	A _____ piace sciare.	_____ piace sciare.
Tu	→	A _____ piace ballare.	_____ piace ballare.
Signora Cerullo	→	A _____ piace giocare a tennis?	_____ piace giocare a tennis?
Signor Parini	→	A _____ piace andare in bicicletta?	_____ piace andare in bicicletta?
Lei	→	A _____ piace il suo lavoro.	_____ piace il suo lavoro.

Ogni pronome corretto 2 punti   Totale: _____ / 20

6 Completa la mail con le preposizioni articolate.

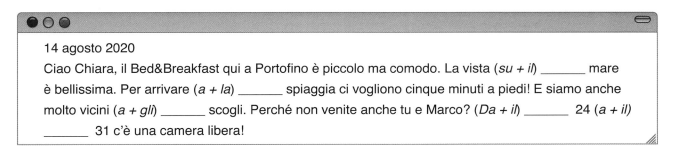

14 agosto 2020
Ciao Chiara, il Bed&Breakfast qui a Portofino è piccolo ma comodo. La vista (*su + il*) _____ mare è bellissima. Per arrivare (*a + la*) _____ spiaggia ci vogliono cinque minuti a piedi! E siamo anche molto vicini (*a + gli*) _____ scogli. Perché non venite anche tu e Marco? (*Da + il*) _____ 24 (*a + il*) _____ 31 c'è una camera libera!

Ogni preposizione corretta 2 punti   Totale: _____ / 10

Totale test: _____ / 100

esercizi 6

consiglio

> *Cerca di studiare bene solo le parole che puoi usare attivamente.*
> *Il resto basta solo capirlo.*

1 In quali frasi bisogna aggiungere *ci* ?

1 ■ Da quanto tempo vivi a Bologna?
▼ _____ abito da 3 mesi.

2 ■ Lavora sempre in banca?
▼ No, adesso _____ lavoro in proprio.

3 ■ Conosce un ristorante tipico qui?
▼ Beh, io _____ vado sempre al «Gambero rosso».

4 ■ Andate in vacanza ad agosto?
▼ No, quest'anno _____ andiamo a settembre.

5 ■ Con chi vai in discoteca?
▼ Quasi sempre da solo, ma qualche volta _____ vado con gli amici.

6 ■ Cosa fa stasera Giovanni?
▼ _____ va al cinema con Marco.

7 ■ Conosce Milano?
▼ Sì, _____ vado abbastanza spesso.

8 ■ Lavori ancora a scuola?
▼ Sì, _____ lavoro già da dieci anni.

2 Completa lo schema.

un albergo caro

_____

una chiesa famosa

_____

una città moderna

_____

una pensione tranquilla

_____

un ristorante elegante

_____

dei negozi eleganti

_____

delle chiese interessanti

_____

degli edifici moderni

_____

delle zone industriali

_____

dei mercati famosi

I nomi e gli aggettivi in **-o** hanno il plurale in _____.

I nomi e gli aggettivi in **-e** hanno il plurale in_____.

I nomi e gli aggettivi in **-a** hanno il plurale in _____.

3 Forma delle frasi.

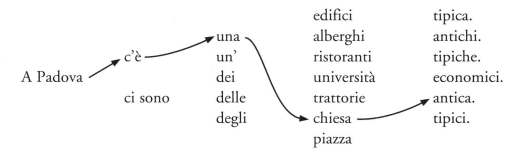

Gli aggettivi in **-ca** hanno il plurale in _____.

Gli aggettivi in **-co** hanno il plurale in _____ , se l'accento cade sulla penultima sillaba,

e in _____ se l'accento cade sulla terz'ultima.

4 Cara Valeria.

Completa con le preposizioni.

| del | a | da | a | di | a | a | al | dei | nei | a | per | per | a |

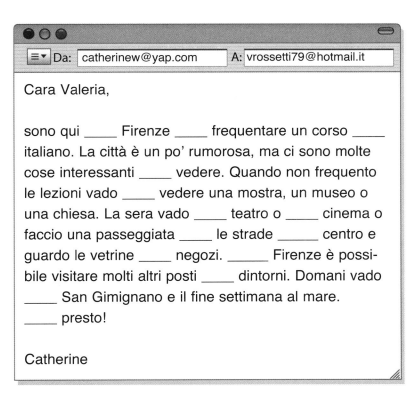

Cara Valeria,

sono qui _____ Firenze _____ frequentare un corso _____
italiano. La città è un po' rumorosa, ma ci sono molte
cose interessanti _____ vedere. Quando non frequento
le lezioni vado _____ vedere una mostra, un museo o
una chiesa. La sera vado _____ teatro o _____ cinema o
faccio una passeggiata _____ le strade _____ centro e
guardo le vetrine _____ negozi. _____ Firenze è possibile visitare molti altri posti _____ dintorni. Domani vado
_____ San Gimignano e il fine settimana al mare.
_____ presto!

Catherine

5 Scegli la forma corretta.

1 Roma non è solo Roma antica. Anche fuori dal centro è **molto / molta** bella e ci sono **molto / molti** musei moderni. Consiglio a tutti una visita!

2 Firenze è una città **molto / molte** interessante, non solo per la cultura. Ci sono **molto / molti** negozi ed è la città ideale anche per fare dello shopping.

3 A Milano ci sono sempre **molto / molte** persone per strada. Anche la sera c'è **molto / molta** vita notturna, soprattutto al centro.

4 Il Parco Nazionale d'Abruzzo è **molto / molte** grande e ci sono **molto / molti** animali protetti, come l'orso bruno e il lupo dell'Appennino.

6 Per la strada.
In questo dialogo le risposte sono in disordine. Ricostruiscilo.

1 Scusi, che autobus va al mercato?

2 E a quale fermata devo scendere?

3 La fermata è nella piazza del mercato?

4 E il mercato è lì vicino?

5 Sa se c'è anche una trattoria tipica?

a Sì, è proprio lì vicino.

b No, mi dispiace, è meglio se chiede in piazza.

c Il 24.

d Alla quarta.

e No, è davanti al Duomo.

7 Completa le frasi con i verbi della lista.

1 Mario, _____ che ore sono ?

2 Scusate, _____ dov'è la stazione?

3 Per andare in centro noi _____ prendere l'autobus.

4 Per il Duomo voi _____ scendere alla quinta fermata.

5 Gli studenti _____ dove _____ andare?

6 Se vai in Toscana _____ visitare anche San Gimignano.

7 Io non _____ che autobus _____ prendere.

8 Scusi, _____ dov'è l'ufficio postale?

devo
devono
devi
dobbiamo
dovete
sa
sai
sapete
so
sanno

8 Completa la tabella.

	+ *il*	+ *lo*	+ *la*	+ *l'*	+ *i*	+ *gli*	+ *le*
a	al						
da		dallo					dalle
di			della			degli	
in					nei		
su				sull'			

9 Completa le frasi con le preposizioni articolate.

1 (a) _____ prima traversa gira a sinistra e lì _____ angolo c'è la pizzeria.

2 (da) Desidero prenotare una camera singola _____ otto al quindici giugno.

3 (di) Avete un depliant _____ hotel con i prezzi _____ camere?

4 (su) Ho una bella camera con vista _____ piazza.

5 (in) L'albergo è _____ zona pedonale.

6 (a) Deve scendere _____ terza o _____ quarta fermata.

7 (di) La sera faccio una passeggiata per le strade _____ centro
e guardo le vetrine _____ negozi.

8 (a) La farmacia è di fronte _____ edicola, accanto _____ banca.

10 *Dov'è / dove sono o c'è / ci sono?*

1 Scusi, _____ un ristorante qui vicino?

2 Per cortesia, sa _____ l'albergo Aurora?

3 Senti, _____ una pizzeria qui vicino?

4 Conosci la pizzeria «Napoli»? Sai _____ ?

5 Per piacere, signora, _____ le Terme di Caracalla?

6 Scusi, _____ cabine telefoniche qui vicino?

7 Signora, per cortesia, _____ un parcheggio vicino alla stazione?

8 _____ i Musei Vaticani, per favore?

Quando chiediamo un'informazione su un posto che conosciamo, diciamo _____.

Quando chiediamo un'informazione su qualche cosa che non sappiamo se c'è,

diciamo _____.

11 *Sì o no?*

Guarda la cartina e di' se queste affermazioni sono vere o false.

	vero	falso
1 L'ufficio postale è davanti alla chiesa.	☐	☐
2 L'edicola è accanto al supermercato.	☐	☐
3 Il distributore è di fronte alla stazione.	☐	☐
4 Il parcheggio è all'angolo.	☐	☐
5 Le cabine telefoniche sono fra la farmacia e il teatro.	☐	☐
6 La fermata dell'autobus è dietro l'ospedale.	☐	☐

> **INFOBOX**
>
> I prezzi dei mezzi pubblici in Italia sono molto bassi
> rispetto a quelli del resto d'Europa.
> Le autostrade sono a pagamento.

12 In base al disegno rimetti in ordine le indicazioni sul percorso.

Per arrivare all'università vai dritto e poi prendi ...

L'università è lì di fronte
Vai ancora avanti e al secondo
la prima strada a sinistra. Attraversi
una piazza, continui ancora dritto e poi giri a
a una grande chiesa.
giri ancora a destra, in via Calepina.
incrocio
destra (all'angolo c'è un supermercato).

13 Esercitiamo la pronuncia.

50 ((▶

a. Ripeti le parole facendo attenzione a come si pronunciano e a come si scrivono.

conosco – conosci
esco – esci
capisco – capisci
preferisco – preferisci

sciare – Ischia
esci – tedeschi
esce – tedesche
piscina – Peschici
scendere – bruschetta

Vai su **www.almaedizioni.it/nuovoespresso** e
mettiti alla prova con gli **esercizi on line** della lezione 6.

b. Chiudi il libro, ascolta la traccia un'altra volta e scrivi le parole su un foglio.

c. Ascolta le frasi e prova a ripeterle con la pronuncia corretta.

51 ((▶

Francesca esce con due amiche tedesche.
Anche noi usciamo con amici tedeschi.
Conoscete Ischia?
Sul letto c'è il cuscino e nel bagno c'è l'asciugamano.
Marco va a sciare, Federica invece preferisce andare in piscina.
Prendiamo l'ascensore o scendiamo a piedi?

14 Ricapitoliamo.

Descrivi la città dove abiti: com'è? Cosa c'è da vedere?
Sai descrivere il percorso da casa tua alla scuola?

 **esercizi 7**

> *Ogni sera scrivi in italiano cinque o sei cose che hai fatto durante la giornata.*

consiglio

1 Completa con l'infinito o con il passato prossimo.

infinito	passato prossimo	infinito	passato prossimo
andare	_____	_____	ho pranzato
_____	ho avuto	preferire	_____
dormire	_____	_____	sono salito/salita
_____	sono stato/stata	arrivare	_____
fare	_____	_____	sono tornato/tornata
_____	ho guardato	partire	_____
passare	_____	_____	ho visitato
_____	ho telefonato	entrare	_____

2 Quante combinazioni sono possibili? Forma delle frasi.

1 Maria — hanno fatto — a lungo.
2 Noi — è stata — al cinema.
3 Enrico — ho dormito — a casa a mezzanotte.
4 Alessia — sono tornate — al museo.
5 Matteo e Paola — è andato — un giro in barca.
6 Io — abbiamo guardato — un momento libero.
7 Federica e Roberta — non ha avuto — la TV.

3 Una gita il fine settimana.

Completa il dialogo tra Davide e Daniela con i verbi al passato prossimo.

■ Allora, Daniela, dove (essere)
_____ il fine settimana?

▼ Io? A Bolzano.

■ Ah, e cosa (fare) _____ ?

▼ (Visitare) _____ un museo e
(pranzare) _____ in un locale
tipico. E tu?

■ Anch'io (passare) _____ due
giornate splendide e intense.

▼ Ah, sì? Perché, dove (andare) _____

■ A Stromboli. Sai, (salire) _____
sul vulcano e (dormire) _____
all'aperto.

4 Cosa raccontano queste persone?

1 Stamattina _____.

2 Ieri sera _____.

3 Domenica _____.

4 Ieri notte _____.

5 Rimetti in ordine le frasi.

1 momento / un / non / ho / libero / avuto

2 ieri / passato / Guglielmo / giornata / intensa / ha / una / molto

3 hanno / in / ristorante / pranzato / un / tipico

4 ieri Andrea / cinema / stati / sono / non / al / Fiorenza / e

5 non / oggi / dormito / Giuliano / bene / ha

6 in / siamo / Portogallo / andati / luglio / a

6 Scegli la forma corretta e completa le frasi con una delle due forme del superlativo assoluto come nell'esempio. Usa gli aggettivi della lista (sono in ordine).

Questo caffè è *molto caldo*.
Questo caffè è *caldissimo*.

| interessante | moderno | elegante |
| sportivo | famoso | intenso |

1 Silvio **domenica / la domenica** ha fatto un viaggio _____.

2 Carlo ha comprato un appartamento _____.

3 A Firenze ci sono negozi _____.

4 Giulia **martedì / il martedì** gioca a tennis e **venerdì / il venerdì** fa nuoto: è una persona

_____.

5 L'Aida è un'opera italiana _____.

6 Ho passato due giornate _____ e non ho avuto un momento libero.

7 Classifica i verbi secondo la forma del participio passato.

andare   mettere   fare   avere   venire   prendere

tornare   essere   dormire   leggere   rimanere

Participio passato

regolare	*irregolare*
andato	fatto

8 Completa con i verbi al passato prossimo.

Domenica scorsa Gianfranco e Alberta (*andare*) _____ al lago. (*Prendere*) _____ il sole, (*fare*) _____ il bagno e (*fare*) _____ anche un giro in gommone. (*Tornare*) _____ verso le sette e (*cenare*) _____ due ore dopo.

Laura invece non (*fare*) _____ niente di particolare perché (*rimanere*) _____ quasi tutto il giorno a casa. (*Fare*) _____ colazione tardi, poi (*mettere*) _____ in ordine la casa. Dopo (*leggere*) _____ il giornale online e (*guardare*) _____ un film alla TV. Per fortuna la sera (*arrivare*) _____ Luca e insieme (*andare*) _____ a fare una breve passeggiata in centro.

> *Quando un verbo ha un participio passato irregolare, imparalo subito insieme all'infinito, con un esempio:* leggere – Ho letto il giornale.

consiglio

9 Completa i dialoghi con i verbi.

1 ■ Franco, ieri (*rimanere*)

_____ a casa?

▼ No, (*andare*) _____ al lago

con Marta.

■ E che cosa (*voi-fare*) _____

di bello?

▼ (*prendere*) _____ il sole

e (*andare*) _____ in barca.

2 ■ E Lei signora, dove (*passare*)

_____ il fine settimana?

▼ (*essere*) _____ a Bologna.

■ E cosa (*vedere*) _____

di interessante?

▼ La pinacoteca.

3 ■ Valeria, cosa (*fare*) _____ ieri?

▼ (*rimanere*) _____ a casa

e (*lavorare*) _____ tutto il

giorno.

Prima (*mettere*) _____

in ordine la casa, poi (*cucinare*)

_____ e il pomeriggio

(*stirare*) _____.

4 ■ (*tu-leggere*) _____

il giornale oggi?

▼ No, ma (*ascoltare*) _____

il giornale radio.

* La Repubblica,
il Corriere della Sera
= giornali italiani

10 Trasforma le frasi come nell'esempio.

Di solito la mattina *metto* in ordine l'appartamento.
Ma stamattina *ho messo* in ordine solo la mia camera.

1 La mattina mangio sempre pane e
marmellata.
Ma oggi _____ un cornetto.

2 In gennaio Livia e Stefania vanno sempre a
sciare.
Ma quest'anno _____ alle
Maldive.

3 Di solito il giovedì Luigi va a teatro.
Ma giovedì scorso _____ al
cinema.

4 A colazione prendiamo quasi sempre il caffè.
Ma stamattina _____ il tè.

5 Di solito Marianna legge *la Repubblica.**
Ma l'altro ieri _____ il
Corriere della Sera.*

6 Ogni domenica faccio un giro in bicicletta.
Ma domenica scorsa _____
un giro in macchina.

7 Di solito Lucia dorme molto bene.
Ma ieri notte _____
proprio male.

8 Di solito la baby-sitter viene il mercoledì.
La settimana scorsa però non
_____.

11 Completa con *tutto il* o *tutta la*.

1 Alberta è rimasta _____ giorno a casa.

2 Ho dormito _____ pomeriggio.

3 Abbiamo ballato _____ notte.

4 Stamattina sono stato _____ tempo in spiaggia.

5 Gianni ha passato _____ fine settimana a casa.

6 Franco ha lavorato _____ domenica.

A quale frase si riferisce il disegno? ☐

12 Che tempo fa?

Completa il dialogo con le parole del cruciverba.

■ Qui a (7 O) _____ oggi c'è un bel

(6 O) _____ e (8 V) _____

molto (1 V) _____ .

▼ Invece (3 O) _____ a Trieste il

(5 V) _____ è brutto.

■ (2 V) _____?

▼ No, ma c'è molto (4 O) _____ e fa

(8 O) _____ .

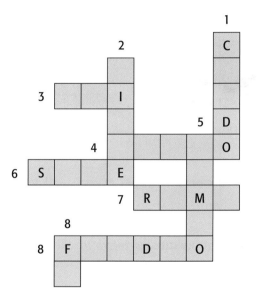

13 Metti le frasi alla forma negativa e sostituisci le parole evidenziate con quelle della lista.

mai   niente   più

1 La settimana scorsa ho lavorato **sempre**. _____

2 Ho visto **tutto**. _____

3 Ho dormito bene. _____

4 Piove **ancora**. _____

5 Ho avuto **molto** da fare. _____

6 Vado **sempre** a ballare. _____

7 Fa **ancora** caldo. _____

8 Franco è rimasto **sempre** a casa. _____

14 Qualche o di + articolo?

Cosa metti: qualche o di + articolo?

1 Ieri c'è stato _____ temporale, ma ora il tempo è bello.

2 Abbiamo fatto _____ passeggiate in montagna.

3 In vacanza hai provato _____ piatto tipico?

4 Avete visitato _____ musei interessanti?

5 Oggi fa caldo, ma c'è ancora _____ nuvola.

6 Conosci _____ albergo non troppo caro a Venezia?

7 Abbiamo comprato _____ bottiglia di vino.

8 Ci sono ancora _____ trattorie aperte?

Adesso trasforma le frasi usando di + articolo al posto di qualche e viceversa.

15 Esercitiamo la pronuncia.

55 ((▶

Ascolta i dialoghi attentamente. Quali parole sono legate? Segnale come nell'esempio. Poi ascolta di nuovo i dialoghi e ripeti.

Abbiamo pranzato *in un* ristorante tipico.

Non ho avuto un momento libero.
Dopo cena sei stata al cinema?
Guido è andato al mare per una settimana.
Siete tornati al lago anche ieri?
Ho messo in ordine la casa.
Luca non è venuto a scuola.
Abbiamo dormito in un albergo in montagna.
Sei andato ad Assisi da solo o con amici?

> **INFOBOX**
>
> La maggior parte degli italiani va in vacanza in agosto, perché questo è il mese in cui chiudono le fabbriche, le industrie e molti uffici. Di solito il rientro dalle vacanze comincia dopo la festa del 15 agosto (Ferragosto).

16 Ricapitoliamo.

Che cosa hai fatto ieri, lo scorso fine settimana, in vacanza? E com'è il tempo adesso?

> Vai su
> www.almaedizioni.it/nuovoespresso
> e mettiti alla prova con gli **esercizi on line** della lezione 7.

✎ test 3

1 Scrivi il plurale delle espressioni.

1 un palazzo antico _____
2 un teatro importante_____
3 una trattoria tipica _____
4 un albergo tranquillo_____

5 un'università famosa _____
6 uno studente intelligente_____
7 una città antica _____

Ogni plurale corretto 3 punti   Totale: _____ /21

2 Completa le frasi con le forme corrette di *molto*, aggettivo e avverbio.

1 Nella mia città ci sono _____ monumenti antichi.
2 Abbiamo passato una vacanza _____ bella!
3 Mio marito ha _____ pazienza con i bambini.
4 Alla festa di Paolo ho visto _____ amici di tuo fratello.
5 Non sto _____ bene, oggi resto a casa.
6 A Roma ci sono _____ posti da vedere: è una città davvero _____ bella.

Ogni forma corretta 2 punti   Totale: _____ / 14

3 Abbina correttamente le frasi di destra con quelle di sinistra per formare un dialogo.

1 Scusi, sa se c'è un ristorante tipico qui vicino?
2 Veramente no. È lontano da qui?
3 Bene, la prima a destra. E poi?
4 Ah, sì, so dov'è il teatro.
5 Ah, si chiama così!
6 Grazie mille!

a Ecco, la piazza di fronte al teatro è piazza Garibaldi.
b Non c'è di che.
c Certo, è dietro piazza Garibaldi, sa dov'è?
d Poi dopo 200 metri a destra vede il teatro.
e No, è vicino. Deve prendere questa strada e poi girare alla prima a destra.
f Sì. Di fronte al teatro, a sinistra, c'è il ristorante.

Ogni abbinamento corretto 2 punti   Totale: _____ / 12

4 Scrivi nel testo i verbi al passato prossimo.

Alberto e Sara (*passare*) _____ una giornata al mare. (*Partire*) _____
alle otto con la macchina e (*arrivare*) _____ alla spiaggia verso le dieci.
Prima (*fare*) _____ il bagno, poi (*prendere*) _____ il sole.
Verso l'una (*mangiare*) _____ in un ristorante sulla spiaggia.

Test

3

Dopo pranzo Alberto (*dormire*) _____ un po' sotto l'ombrellone e Sara (*leggere*) _____ un libro. Nel pomeriggio (*fare*) _____ un giro in barca; Sara (*fare*) _____ molte fotografie. (*Tornare*) _____ a casa verso le otto di sera.

Ogni verbo corretto 2 punti   Totale: ____ / 22

5 Abbina le immagini alle espressioni.

| a destra | semaforo | dritto | incrocio | a sinistra |

a _____   **b** _____   **c** _____   **d** _____   **e** _____

Ogni abbinamento corretto 2 punti   Totale: ____ / 10

6 Completa con i verbi al passato prossimo. Attenzione: due verbi sono al presente.

Ciao Francesco, come stai?
Io (*tornare*) _____ ieri dal viaggio in Toscana, io e Stefania (*andare*) _____ a Firenze, Pisa, Siena e (*visitare*) _____ anche Arezzo. In Toscana c'è davvero tutto: natura, arte, storia e… cucina! Infatti (*mangiare*) _____ molto bene, (*trovare*) _____ sempre trattorie tipiche con i piatti regionali. (*Salire*) _____ anche sulla torre di Pisa e, a Firenze, sul campanile di Giotto: che panorama!

E tu, (*stare*) _____ in Trentino, vero? (*Aspettare*) _____ tue notizie!
Roberto

Ciao Roberto,
sì (*stare*) _____ in Trentino con gli amici, una settimana in mezzo alla natura! (*noi - Trovare*) _____ bel tempo per tutta la settimana, (*essere*) _____ fortunati!
(*Fare*) _____ lunghe passeggiate nei boschi, ma non solo: (*fare*) _____ anche gite in bicicletta e un giorno (*praticare*) _____ sport estremi, come il rafting!
Anche io (*tornare*) _____ ieri e adesso (*essere*) _____ stanchissimo!
Insomma, (*essere*) _____ una vacanza davvero speciale.

Un saluto, Francesco

Ogni verbo al passato prossimo 1 punto; ogni verbo al presente 3 punti   Totale: ____ / 21

Totale test: ____ / 100

✏️ esercizi 8

> Non imparare solo le parole che trovi nel libro, impara anche quelle che senti in altre situazioni e che per te sono importanti.

1 Cruciverba.

Completa il cruciverba. Alla fine potrai leggere il nome di un oggetto che si usa quando andiamo al supermercato.

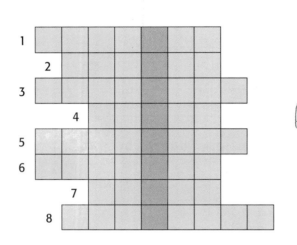

2 In ogni gruppo c'è una parola che non va bene con le altre. Qual è?

1. prosciutto / salame / carne / mortadella
2. ciliegie / uova / pesche / arance
3. carne / pesce / pesche / uova
4. aglio / cipolla / carote / uva
5. estate / pomodori / autunno / inverno
6. zucchero / patate / miele / biscotti

INFOBOX

Vuoi sapere se un vino è buono? Allora controlla se sulla bottiglia c'è la scritta **DOC** (denominazione di origine controllata). Per le cose da mangiare, invece, c'è l'abbreviazione **DOP** (denominazione di origine protetta).

---

3 Quante combinazioni sono possibili?

	funghi
	pasta
	salame
un pacco di	uova
un litro di	patate
un chilo di	latte
un etto di	cipolle
mezzo chilo di	riso
sei	prosciutto
	bistecche
	uva
	pomodori

4 Chi lo dice? Il commesso o il cliente?

		Commesso	Cliente
1	Che cosa desidera oggi?	☐	☐
2	Va bene così?	☐	☐
3	Ha del parmigiano?	☐	☐
4	Nient'altro, grazie.	☐	☐
5	Quanti ne vuole?	☐	☐
6	Si accomodi alla cassa.	☐	☐
7	Altro?	☐	☐
8	Ne vorrei mezzo chilo.	☐	☐

5 Completa con i pronomi e con *ne*.

Nel negozio di alimentari la signora Ferri prende due etti di mortadella, ma _____ vuole affettata molto sottile. Desidera anche del parmigiano, ma _____ vuole fresco. La signora _____ prende mezzo chilo. Poi compra anche delle olive. _____ prende circa due etti e _____ vuole verdi e grosse.

6 Completa i dialoghi con i pronomi *lo, la, li, le.*

1 ■ Sei peperoni, per cortesia.
▼ _____ vuole rossi o gialli?

2 ■ Il parmigiano fresco o stagionato?
▼ _____ preferisco piuttosto stagionato.

3 ■ Ti piace il pesce?
▼ Sì, _____ mangio spesso.

4 ■ Ancora qualcos'altro?
▼ Della mortadella, ma _____ vorrei affettata sottile.

5 ■ Ha dell'uva buona?
▼ Certo. _____ preferisce bianca o nera?

6 ■ Ci sono i ravioli oggi?
▼ Sì, _____ vuole al pomodoro o al ragù?

7 ■ Compri tu le olive?
▼ Sì. _____ prendo verdi o nere?

8 ■ Non ci sono più uova.
▼ Non c'è problema*, _____ compro io.

* non c'è problema = ok, va bene

7 Completa con *di + articolo.*

1 Vorrei _____ aglio.

2 Ha _____ parmigiano stagionato?

3 Puoi comprare _____ latte e _____ uova?

4 Ha _____ uva buona?

5 Ho comprato _____ ciliegie e _____ pesche.

6 Vorrei _____ carne macinata.

7 Il pane è finito. Vanno bene anche _____ panini?

8 Trasforma le frasi come nell'esempio.

Costruzione normale della frase
Preferisce il prosciutto cotto o crudo?

Inversione del complemento oggetto
Il prosciutto lo preferisce cotto o crudo?

1 Compro quasi sempre la frutta al mercato.

La frutta _____

2 Può affettare il salame molto sottile?

Il salame _____

3 Come vuole le olive? Nere o verdi?

Le olive _____

4 Non mangio quasi mai la pasta.

La pasta _____

5 Vuole il latte fresco o a lunga conservazione?

Il latte _____

6 Compri tu i peperoni?

_____

> *Impara gradatamente, ogni tanto fai una pausa e muoviti.*
> *Ti sentirai più fresco e riposato.*

consiglio

9 *Lo, la, li, le* o *ne*? Completa.

1 Prendo le ciliegie, ma _____ vorrei buone.

2 Prendo le pesche, ma _____ vorrei solo un chilo.

3 Non amo molto i dolci: _____ mangio pochi.

4 I dolci non _____ mangio molto spesso.

5 Il vino _____ preferisce rosso o bianco?

6 Il vino a tavola c'è sempre. A pranzo _____ bevo uno o due bicchieri.

7 La pasta mi piace e _____ mangio molta.

8 La pasta mi piace e _____ mangio spesso.

> **INFOBOX**
>
> Anche in Italia, come in altri Paesi, c'è una grande richiesta di prodotti biologici e naturali. Prima era possibile comprare questi prodotti solo in pochi negozietti e a un prezzo molto alto. Adesso invece si vendono in tutti i grandi supermercati e non sono più tanto cari.

10 In salumeria.

Metti correttamente le risposte del cliente nel dialogo e completa con i pronomi diretti e con ne.

Commesso	Cliente
■ Cosa desidera oggi?	**a** No, nient'altro, grazie.
▼ ☐	**b** Due etti di salame.
■ Certo, signora. Ancora qualcosa?	**c** Sì, due etti e mezzo di parmigiano e poi… un pacco di zucchero.
▼ ☐	**d** Stagionato.
■ _____ preferisce verdi o nere?	**e** Circa due etti.
▼ ☐	**f** Sì. Delle olive.
■ Quante _____ vuole?	**g** Verdi.
▼ ☐	
■ Benissimo. Qualcos'altro?	
▼ ☐.	
■ Il parmigiano _____ vuole fresco o stagionato?	
▼ ☐	
■ Altro?	
▼ ☐.	

Vai su **www.almaedizioni.it/nuovoespresso** e mettiti alla prova con gli **esercizi on line** della lezione 8.

11 Completa le frasi con il *si* impersonale e con i verbi della lista.

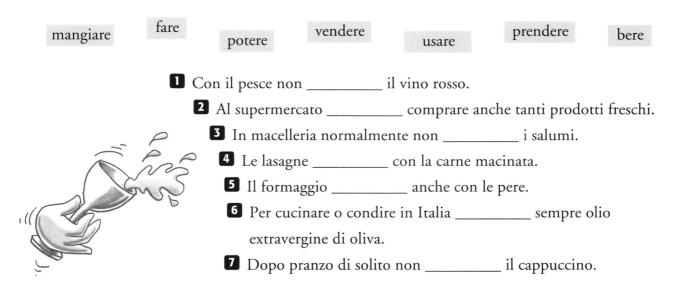

mangiare   fare   potere   vendere   usare   prendere   bere

1 Con il pesce non _____ il vino rosso.

2 Al supermercato _____ comprare anche tanti prodotti freschi.

3 In macelleria normalmente non _____ i salumi.

4 Le lasagne _____ con la carne macinata.

5 Il formaggio _____ anche con le pere.

6 Per cucinare o condire in Italia _____ sempre olio extravergine di oliva.

7 Dopo pranzo di solito non _____ il cappuccino.

12 Una ricetta.

*Sai come si prepara il ragù? Leggi la ricetta e completa il testo con gli ingredienti **evidenziati**.*

Il ragù

Ricetta per n° 6 persone

½ chilo di **carne macinata**
½ chilo / 700 grammi di passata
di **pomodoro**
1 **aglio**, 1 **cipolla**, 1 **carota** e
sedano
½ bicchiere di **vino**
sale e pepe
olio

Tagliare a pezzettini una _____, uno spicchio d'_____ , una _____ e una costa di _____. Fare rosolare il tutto in un po' d'_____. Quando le verdure sono ben rosolate, aggiungere circa mezzo chilo di _____, mescolare bene, far cuocere, salare e pepare. Poi versare mezzo bicchiere di _____ bianco o rosso. Quando il vino è ben evaporato, aggiungere da mezzo chilo a 700 grammi di passata di _____. Fare cuocere molto lentamente a fuoco basso per 2 - 3 ore.

13 Esercitiamo la pronuncia.

60 🔊

Segna cosa senti: una b o una p?

	1	**2**	**3**	**4**	**5**	**6**	**7**	**8**	**9**	**10**	**11**	**12**	**13**	**14**
b	☐	☐	☐	☐	☐	☐	☐	☐	☐	☐	☐	☐	☐	☐
p	☐	☐	☐	☐	☐	☐	☐	☐	☐	☐	☐	☐	☐	☐

61 🔊

14 Sai quanto costa in Italia...?

Abbina i prezzi ai prodotti. Leggi i prezzi correttamente. Poi ascolta e verifica.

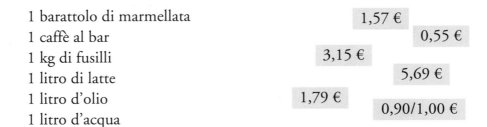

1 barattolo di marmellata
1 caffè al bar
1 kg di fusilli
1 litro di latte
1 litro d'olio
1 litro d'acqua

1,57 €
0,55 €
3,15 €
5,69 €
1,79 €
0,90/1,00 €

15 Ricapitoliamo.

Cosa ti piace o non ti piace mangiare? Qual è il tuo piatto preferito?
Con quali ingredienti lo prepari?

✎ esercizi 9

Alla fine della lezione ripensa a quello che hai imparato in classe. Se non hai capito bene qualcosa, controlla sul libro o scrivi sul quaderno la domanda per la prossima lezione.

consiglio

1 La giornata di Gabriella e Alberto.

Completa con le preposizioni.

1 Gabriella è bibliotecaria. Comincia a lavorare _____ 8.30.
Lavora _____ 8.30 _____ 17.00. Fa una pausa _____ le 12.30
e le 15.00. Il sabato lavora fino _____ 14.00.

BIBLIOTECA CIVICA
ORARIO NEI GIORNI FERIALI
8,30 — 17,00
SABATO 8,30 – 14,00

2 Alberto è cameriere. La mattina non lavora, comincia
a lavorare _____ 12.00. _____ 17.00 _____ 19.00 fa una pausa
e poi ricomincia. Di solito finisce di lavorare _____ 2.00 di
notte. La mattina non si sveglia mai prima _____ 10.00.

2 Che giorno, che mese, che stagione?

Qual è ...
1 ... il giorno dopo il mercoledì? _____
2 ... il mese fra giugno e agosto? _____
3 ... il giorno prima del lunedì? _____
4 ... il mese fra marzo e maggio? _____
5 ... la stagione dopo l'inverno? _____
6 ... la stagione prima dell'autunno? _____

3 Come si può dire?

*Scrivi un modo diverso per esprimere le parti **evidenziate**.*

1 Mio padre *tutte le sere* _____ guarda il telegiornale.
2 Luisa *tutti i martedì* _____ incontra le sue amiche.
3 Io *il sabato* _____ sto con la mia famiglia.
4 Io mi faccio la barba *la mattina* _____ dopo la colazione.

4 La giornata di Carlo.

Completa il testo con i verbi al tempo presente. I verbi non sono in ordine.

Per Carlo è arrivato il giorno della finale del torneo
di calcetto: la mattina _____ presto e _____ una bella
colazione. Poi _____ con calma e _____ a lavorare.
Verso le cinque e mezzo _____ dall'ufficio e va al campo:
la partita _____ alle sei e mezza.

andare	fare
prepararsi	uscire
cominciare	alzarsi

5 Completa le frasi con le parole della lista.

mai	presto	spesso	tutte	una volta

1 Luisa la domenica va _____
al cinema.

2 Roberto non va _____
al cinema.

3 Marco fa sport _____
a settimana.

4 Carlo _____ le domeniche
guarda la partita in TV.

5 Katia la mattina esce da casa molto
_____.

6 Completa le frasi con i verbi al presente e numerale per frequenza (da 1 = sempre a 5 = mai).

☐ 1 Lucia non (*alzarsi*) _____
mai dopo le dieci.

☐ 2 Matteo e Roberta (*riposarsi*)
_____ **sempre** la
domenica.

☐ 3 Tu (*prendere*) _____
l'autobus **tutte le mattine**, vero?

☐ 4 Voi (*vedersi*) _____
spesso?

☐ 5 Noi a pranzo **qualche volta**
(*mangiare*) _____
un'insalata.

7 Completa lo schema con le forme dei verbi *lavarsi* e *vestirsi*.

1 Noi _____ le mani prima di pranzo.

2 Quando _____ scelgo sempre
almeno un indumento rosso.

3 Tutti gli italiani _____
elegantemente? Ti assicuro che è un luogo
comune!

4 I bambini _____ le mani perché
hanno giocato con il cane.

5 Ma tu _____ i denti prima di fare
colazione?

6 Anche se fa shopping spesso, Anna
_____ proprio male.

Esercizi

9

8 Completa le frasi con i pronomi e con le desinenze verbali.

1 La mattina noi _____ alz_____ alle sei.

2 Dopo il lavoro Luisa _____ ripos_____ un po'.

3 I bambini _____ svegli_____ alle sette, poi _____ alz_____ e _____vest_____.

4 Voi _____ ripos_____ il pomeriggio?

5 Roberto, a che ora _____ alz_____ di solito?

6 Quando fa molto caldo, io _____ lav_____ spesso con l'acqua fredda.

9 Luca racconta la sua giornata.

Completa la giornata di Luca con gli elementi mancanti e scrivi un testo alla prima persona singolare. Se vuoi, puoi usare anche prima, poi, di solito, a volte, sempre, spesso, *ecc.*

> uscire di casa e andare in banca, dove lavorare
>
> alzarsi, lavarsi e vestirsi
>
> finire di lavorare e tornare a casa
>
> riposarsi un po'

7.00	svegliarsi
7.10	_____
7.30	fare colazione
8.00	_____
8.30	cominciare a lavorare
13.00 – 14.00	fare una pausa per il pranzo
17.00	_____
17.30	_____
20.00	cenare, guardare la televisione o leggere un po'
23.00	andare a letto

Vai su
www.almaedizioni.it/nuovoespresso
e mettiti alla prova con gli **esercizi
on line** della lezione 9.

La mattina io ...

Adesso riscrivi il testo alla terza persona singolare.

La mattina Luca ...

10 Conosci gli italiani?

Completa il testo con le parole della lista.

| estate | perfettamente | bevono | usano | sughi | parole | velocemente | fanno |

La pasta

La maggior parte degli italiani mangia la pasta almeno una volta al giorno. In particolare gli spaghetti, conditi con moltissimi _____ diversi. Secondo gli italiani infatti solo in Italia si sa cuocere la pasta _____.

Il calcio

Gli italiani sono molto sportivi… a parole: non molti in Italia _____ sport, ma quasi tutti seguono il calcio in televisione, alla radio e sui giornali, ma anche al bar, sotto l'ombrellone d'_____ e d'inverno a scuola o sul posto di lavoro.

Il caffè

Si può dire che gli italiani _____ l'espresso ad ogni occasione: a colazione, dopo pranzo, dopo cena, durante le brevi pause di lavoro, a casa o al bar e spesso in piedi, _____.

I gesti

Infine, i gesti: gli italiani_____ molto le mani mentre parlano, spesso per rendere più chiaro il discorso e anche per dire qualcosa che senza _____ è anche più facile capire.

INFOBOX

A parte capodanno, che non è una festa religiosa, e il primo maggio, in Italia ci sono altri due giorni di **festività non religiose**. Il 2 giugno è la Festa della Repubblica, in ricordo del referendum Monarchia / Repubblica del 2 giugno 1946. Infine, un'altra festa non religiosa importante per gli italiani è il 25 aprile, anniversario della liberazione e data simbolo della fine della Seconda Guerra Mondiale.

11 Completa il testo con le festività corrette.

Le feste religiose in Italia

La festa religiosa più importante è il _____, che si festeggia il 25 dicembre. Il 24 dicembre, la vigilia, è un giorno lavorativo; molti cattolici, comunque, vanno alla messa di mezzanotte. In molte città italiane si festeggia anche il santo protettore (il patrono) della città. Per es. S. Antonio a Padova, S. Gennaro a Napoli. Tra i giorni festivi c'è il 15 agosto (_____), che celebra l'assunzione di Maria, il 1° novembre (la festa di tutti i santi), l'8 dicembre (l'Immacolata Concezione), il 26 dicembre (S. Stefano) e il 1° gennaio (_____).

12 Cosa dici...

1 ad una persona che compie gli anni? _____

2 ad una persona che parte per le vacanze? _____

3 a Natale? _____

4 a Capodanno? _____

5 a Pasqua? _____

6 ad una persona che deve dare un esame? _____

7 ad una persona che ha trovato lavoro? _____

13 Esercitiamo la pronuncia.

65

a. Senti t o tt?

	1	2	3	4	5	6
t	□	□	□	□	□	□
tt	□	□	□	□	□	□

b. Senti p o pp?

	1	2	3	4	5	6
p	□	□	□	□	□	□
pp	□	□	□	□	□	□

c. Senti m o mm?

	1	2	3	4	5	6
m	□	□	□	□	□	□
mm	□	□	□	□	□	□

d. Senti n o nn?

	1	2	3	4	5	6
n	□	□	□	□	□	□
nn	□	□	□	□	□	□

e. Riascolta tutte le parole e scrivile.

14 Ricapitoliamo.

Com'è la tua giornata? E il fine settimana? Descrivi la tua giornata e le tue abitudini.

esercizi 10

Per ricordare meglio le parole nuove, scrivile e contemporaneamente leggile ad alta voce.

consiglio

1 La mia famiglia.

Federico ci presenta la sua famiglia. Guarda il disegno e completa con i nomi della famiglia.

2 Vivi da solo?

Metti in ordine il dialogo.

1. Vivi da solo?

☐ Più grandi o più piccoli di te?

☐ Sì, e tu?

☐ Ah. E vivono da soli o con i tuoi?

☐ E hai fratelli?

☐ Io ho un fratello e una sorella.

☐ Mia sorella è più grande e mio fratello più piccolo.

☐ Anch'io. I miei vivono a Lucca.

☐ No, sono figlia unica. E tu?

☐ Mio fratello vive da solo, mia sorella, invece, vive ancora con i miei.

> **INFOBOX**
>
> **La famiglia italiana** moderna è composta da genitori e uno o due figli, raramente, almeno nell'Italia settentrionale, da più di due figli. Il legame familiare è ancora oggi molto forte. Tutta la famiglia si riunisce ogni giorno, almeno a cena, intorno allo stesso tavolo. I nonni, specialmente se sono vedovi, vivono in casa con uno dei figli e partecipano attivamente alla vita familiare. I giovani, inoltre, vivono spesso fino ai trent'anni con i propri genitori e lasciano la casa paterna solo quando si sposano.

3 Conosci l'Italia?

Completa le frasi con il superlativo relativo.
Se le risposte sono esatte, metti insieme le sillabe tra parantesi e ottieni una frase.

1 Qual è _____ (fiume /lungo) d'Italia?

    a. Tevere (com)   b. Po (bra)   c. Adige (pre)

2 Qual è _____ (isola/grande) d'Italia?

    a. Elba (tri/sen)   b. Sardegna (don/car)   c. Sicilia (vo/con)

3 Qual è _____ (città/grande) d'Italia?

    a. Milano (osci/ma)   b. Napoli (osci/den)   c. Roma (osci/be)

4 Qual è _____ (monte /alto) d'Italia?

    a. Cervino (le/ra/to)   b. Monte Bianco (ne/la/geo) c. Monte Rosa (ne/lo/gra)

5 Qual è _____ (regione /piccola) d'Italia?

    a. Val D'Aosta (grafia) b. Molise (metria)   c. Basilicata (logia)

_____, _____ _____ ____ _____!

Quando nel libro incontri una località nuova (un monte, un fiume, ecc.), vai a controllarla sull'atlante. In questo modo, poco a poco, conoscerai l'Italia.

consiglio

---

4 Di chi si parla?

Rileggi il testo a pagina 134 e collega ad ogni persona due delle seguenti frasi.

	porta la barba. (a)
	non vive più con il marito. (b)
1 Valeria...	ha una figlia.(c)
2 Flavia...	ha una sorella. (d)
3 Alessandro...	è sposata con Filippo. (e)
4 Francesca...	è un amico di famiglia di Andrea .(f)
5 Ugo...	ha sposato Andrea. (g)
	è andato a vivere in un'altra città. (h)
	è il compagno di Francesca. (i)
	ha due bambini. (l)

5 Parenti vicini e lontani.

Inserisci i nomi di parentela accanto alle definizioni.

1 Il figlio della sorella   _____

2 La figlia della zia   _____

3 Il padre del marito   _____

4 La mamma della moglie   _____

5 Il fratello della madre   _____

6 Il figlio del figlio   _____

suocero

nipote   suocera

zio   nipote

cugina

6 Mio, tuo...

Completa le frasi con le lettere finali dei possessivi e con gli articoli determinativi.

1 ____ nostr__ amici sono partiti per il mare.

2 Tu__ sorella vive ancora a Londra?

3 Se vuoi ti regalo ____ mi__ bicicletta perché io non la uso più.

4 ____ tuo__ occhiali sono sul tavolo, li vedi?

5 Quando arrivano ____ vostr__ genitori?

6 No, Gianni non è su__ marito, è ____ su__ ragazzo!

7 Ecco: questa è ____ vostr__ camera.

8 ____ mie__ zii si sono trasferiti in Toscana.

9 Ecco, questo è ____ vostr__ tavolo.

10 Scusa, questi guanti sono ____ tuo__ o ____ mie__?

7 Articolo o no?

Scegli l'opzione giusta.

1 *La tua/Tua* sorella abita a Trieste?

2 Oggi vengono anche Monica e *suo/il suo* fidanzato.

3 Amedeo e Valeria vedono *il loro/loro* figlio solo una volta all'anno, a Natale.

4 Queste sono Monica e Chiara, *le mie/mie* nipoti!

5 Le presento Alessandro, *il mio/mio* marito.

6 *I miei/miei* nonni abitano lontano da qui, li vedo poco.

8 Matteo racconta.

Completa il testo con gli aggettivi possessivi e quando è necessario con gli articoli determinativi.

_____ madre ha 43 anni e lavora nella libreria di _____ sorella, (_____ zia). _____ padre, invece, è impiegato presso una ditta di computer. Sono figlio unico, però questo per me non è mai stato un problema, forse perché ho sempre potuto giocare con _____ cugini. _____ madre e _____ sorelle sono sempre state molto legate, così io e _____ cugini siamo cresciuti insieme.

INFOBOX

Il matrimonio: usi e costumi. **Il matrimonio** è ancora oggi una festa speciale, ricco di tradizioni antiche e più recenti abitudini. L'**abito** da sposa deve essere lungo e bianco, ma oggi molte donne usano anche abiti corti.

Un'altra tradizione molto diffusa è quella di donare a tutti gli invitati, in ricordo del «grande giorno», la cosiddetta **bomboniera**, un piccolo regalo con un sacchettino contenente tre o cinque confetti (piccoli dolci ovali di zucchero cotto), rigorosamente bianchi e alla mandorla.

---

9 Completa le frasi con gli aggettivi possessivi e quando è necessario con gli articoli determinativi.

1 _____ genitori vivono in un'altra città, io vivo da sola.

2 Scusa, Maria, sono queste _____ chiavi?

3 Il figlio di Clara abita a Milano, _____ figlia invece vive in Germania.

4 Luisa e Dario abitano qui. Questa è _____ macchina!

5 Signorina, potrebbe darmi _____ nuovo numero di telefono?

6 Ragazzi, dov'è _____ insegnante?

7 Guarda, mamma, in garage abbiamo trovato _____ vecchi libri di scuola!

8 Ecco _____ bicicletta nuova, ti piace? È un regalo dei _____ nonni.

9 Per favore, mi dai un attimo _____ cellulare?

10 Pietro, scusa, ma non metti mai in ordine? _____ camera è un vero caos!

10 Forma delle frasi.

Luca e Daniele	ci siamo incontrati	una volta al compleanno di mio fratello.
Mia sorella	ti sei alzata	per caso* in treno!
Roberto	si sono trasferiti	perché la sorella gli ha preso la macchina.
Tu	si è sposata	presto questa mattina.
Io e Claudio	vi siete visti	con un mio compagno di classe.
Tu e mia sorella	si è arrabbiato	in città.

* per caso = in modo imprevisto, inaspettato

11 Completa le frasi con i verbi al passato prossimo.

sposarsi   prendere   cambiare

alzarsi   andare   dedicarsi   arrabbiarsi

divertirsi   perdere

riposarsi

1 Marco e Giovanna _____ tantissimo alla festa di Andrea.

2 È stata veramente una splendida vacanza: ho letto, ho fatto il bagno, ho preso il sole, insomma, _____ !

3 Stamattina Patrizia _____ la macchina perché _____ tardi e _____ il treno.

4 Mio nonno _____ per molti anni al giardinaggio.

5 Tu e Giacomo _____ in chiesa?

6 Ho sentito che Rosa e Alfredo _____ a teatro insieme sabato sera.

7 Senta, Le do il mio nuovo indirizzo perché _____ casa.

8 Scusa, e tu _____ con Sandra solo perché ti ha chiamato così tardi?

Vai su **www.almaedizioni.it/nuovoespresso** e mettiti alla prova con gli **esercizi on line** della lezione 10.

12 Completa il testo con le parole della lista.

| coppia | famiglie di fatto | famiglia di origine | mammismo | convivenza |

I ragazzi italiani escono di casa abbastanza tardi, in media verso i 27 anni, e non solo per ragioni economiche; ma anche dopo il matrimonio i figli continuano ad avere un legame molto stretto con la _____. In Italia chiamiamo questo fenomeno _____ e "mammone" è un termine diffuso per descrivere quei ragazzi (si tratta infatti spesso di maschi) che rimangono dipendenti dalla famiglia fino all'età adulta. Il matrimonio o la vita di _____ cambiano solo in parte questo rapporto tra genitori e figli: se infatti la _____ non va bene, il figlio (o la figlia) è pronto a tornare dalla mamma (spesso anche per ragioni economiche). A tutto questo bisogna aggiungere che le unioni sono sempre meno solide di un tempo e non solo i matrimoni diminuiscono (e aumentano le separazioni), ma sono sempre di più le _____. Tutto questo rende la famiglia di origine un punto di riferimento sempre forte.

> *Usa i momenti d'attesa o i viaggi per ripetere espressioni, per immaginare delle piccole conversazioni o per scrivere le tue esperienze.*
>
> **consiglio**

13 Ricapitoliamo.
Scrivi tutte le parole della famiglia che ti riguardano. Oppure descrivi la tua famiglia e parla dei tuoi parenti.

> **INFOBOX**
>
> Anche in Italia si è ormai diffusa l'abitudine di preparare una **lista di nozze** in negozi scelti dagli sposi. Così si evita di ricevere regali doppi o sgraditi. In alcune regioni si usa ancora esporre, in casa della sposa, i regali accompagnati dal biglietto del donatore, in modo da mostrarne la «generosità». Oggi è anche possibile aprire una lista di nozze in un'agenzia di viaggi, così gli sposi possono farsi regalare, da parenti e amici, una luna di miele indimenticabile.

✎ test 4

1 Metti gli avverbi in ordine di frequenza, dal meno frequente al più frequente.

1. di solito	2. mai	3. normalmente	4. qualche volta	5. raramente	6. sempre

- - ☐   - ☐   + ☐   ++ ☐   +++ ☐   ++++ ☐

Ogni avverbio al posto giusto 1 punto   Totale: ____ / 6

2 <u>Sottolinea</u> nel testo i sei verbi riflessivi.

Secondo una ricerca, la maggior parte degli italiani la mattina non ha molto tempo, prima di uscire di casa.
Io però sono un po' diverso. Mi piace avere tempo, così metto la sveglia molto presto, alle 6, mi alzo con calma, mi lavo e mi vesto. Poi preparo la colazione per me e per mia moglie. Lei si sveglia alle 7 e io le porto il caffellatte e i biscotti a letto. Mi ama anche per questo!

Dopo la colazione ci mettiamo dieci minuti sul divano a guardare le ultime notizie e la rassegna stampa in televisione. Chiacchieriamo un po' e poi verso le 8 mia moglie entra in bagno e io esco per andare al lavoro.
Il sabato e la domenica succede il contrario: mia moglie prepara la colazione verso le 9, restiamo a letto un po' e ci alziamo con calma, sicuramente dopo le 10.

Ogni verbo sottolineato in modo giusto 2 punti   Totale: ____ / 12

3 Completa le frasi con le forme dei verbi *alzarsi, lavarsi* e *vestirsi*.

1 Io ho la sveglia sempre alle sette! E tu? A che ora _____ la mattina?

2 Domani _____ alle 06.00, va bene? Dobbiamo partire presto!

3 Wow, sei bellissimo! Da quando hai questo nuovo lavoro _____ benissimo!

4 Ma tu prima di andare a dormire _____ sempre i denti?

Ogni verbo giusto 3 punti   Totale: ____ / 12

4 Completa le frasi con il superlativo relativo.

1 La Valle d'Aosta è _____ (**regione / piccola**) d'Italia.

2 Il parco archeologico di Siponto, vicino a Foggia, con 4 ingressi in un anno, è _____ (**museo / visitato**) d'Italia.

3 Roma è _____ (**città / grande**) d'Italia.

4 Il Lago di Garda è _____ (**lago / grande**) d'Italia.

5 Pedesina, con i suoi 33 abitanti, è _____ (**comune / popolato**) d'Italia.

Ogni superlativo giusto 1 punto   Totale: ____ / 5

5 Completa le frasi con le lettere finali dei possessivi e con gli articoli determinativi (dove necessario).

1 Come sta ___ tu___ marito?

2 Questi nella foto sono Lucia e Franco, e questa è ___ lor___ nonna.

3 Stasera esco con ___ mie___ amici.

4 Ieri ho incontrato Lucia e finalmente ho conosciuto ___ su___ figlia.

> *Ogni spazio completato in modo giusto 3 punti   Totale: ____ / 24*

6 Completa la mail con gli aggettivi possessivi dove necessario. Attenzione: in alcuni casi devi inserire anche l'articolo determinativo.

Ciao amore, è arrivato il grande giorno, domani conosci _____ famiglia! Ti scrivo per prepararti perché ci sono davvero tutti! Vogliono finalmente conoscere _____ fidanzata! ☺
Come già ti ho detto, _____ madre e _____ padre sono due persone molto carine. _____ Papà (che io chiamo Babbo) sembra un musone, ma non preoccuparti se sorride poco, in realtà è molto dolce. _____ sorella fa la psicologa. Pensa sempre di capire tutto delle persone al primo sguardo, quindi almeno all'inizio cerca di essere sorridente e disponibile con lei. _____ marito è un ragazzo tranquillo e _____ figli sono bellissimi.
Ah, un'ultima cosa: _____ famiglia è una tipica famiglia del Sud, per cui è normale baciarsi. Quindi cerca di non essere troppo formale e bacia tutti, anche _____ zii, altrimenti si offendono. Puoi baciare anche me… anzi, devi baciare anche me!!! ☺
A domani. Carlo

> *Ogni spazio completato in modo giusto 2 punti   Totale: ____ / 20*

7 Completa il testo con i verbi riflessivi al passato prossimo.

Ciao ragazze! Una settimana fa (*sparsarsi*) _____. La sera prima del matrimonio mia sorella è arrivata da Reggio Emilia. Abbiamo mangiato insieme qualcosa e poi (*mettersi*) _____ davanti alla TV a guardare un vecchio filmino per rivedere le immagini di mia madre, che da cinque anni non c'è più. Poi è arrivato anche mio fratello e (*emozionarsi*) _____ così tanto che alla fine abbiamo pianto tutti e tre insieme. È stato un momento triste ma anche molto bello.
La sera sono andata a letto presto (da sola! Anche se convivo già da tre anni, ma si sa… la sera prima… ☺) ma (*addormentarsi*) _____ alle 4 di notte e ho dormito 3 ore!
La giornata è stata incredibile! Non la posso descrivere in poche righe perché da quando (*svegliarsi*) _____, alle 7, è stato tutto come in un film, nel bene e nel male. Sia noi che gli ospiti (*divertirsi*) _____, ma io e mio marito (*stancarsi*) _____ molto. Alla fine tutto è andato benissimo e ora sono la persona più felice del mondo!

> *Ogni verbo corretto 3 punti   Totale: ____ / 21*

> *Totale test: ____ / 100*

grammatica

Suoni e scrittura

L'alfabeto

L'alfabeto italiano ha 21 lettere, + 5 lettere di origine straniera.

a (a)	**g** (gi)	**o** (o)	**u** (u)	*Lettere straniere:*
b (bi)	**h** (acca)	**p** (pi)	**v** (vi/vu)	**j** (i lunga)
c (ci)	**i** (i)	**q** (cu)	**z** (zeta)	**k** (cappa)
d (di)	**l** (elle)	**r** (erre)		**w** (doppia vu)
e (e)	**m** (emme)	**s** (esse)		**x** (ics)
f (effe)	**n** (enne)	**t** (ti)		**y** (ipsilon / i greca)

Lez. 1

La pronuncia

In italiano le parole si leggono fondamentalmente così come si scrivono.
Ci sono comunque delle particolarità:

Lettera singola/composta	*Pronuncia*	*Esempio*
c (+ a, o, u)	[k]	**c**arota, **c**olore, **c**uoco
ch (+ e, i)		an**ch**e, **ch**ilo
c (+ e, i)	[ʧ]	**c**ellulare, **c**ittà
ci (+ a, o, u)		**ci**ao, **ci**occolata, **ci**uffo
g (+ a, o ,u)	[g]	**G**arda, **g**onna, **gu**anto
gh (+ e, i)		lun**gh**e, **ghi**accio
g (+ e, i)	[ʤ]	**g**elato, **G**igi
gi (+ a, o, u)		**gi**acca, **gi**ornale, **gi**usto
gl	[λ]	**gl**i, bi**gl**ietto, fami**gl**ia
gn	[ɲ]	dise**gn**are, si**gn**ora
h	non si pronuncia	**h**otel, **h**o, **h**anno
qu	[ku]	**qu**asi, **qu**attro, **qu**esto
r	[r] vibrante	**r**iso, **r**osso, **r**isposta
sc (+ a, o, u)	[sk]	**sc**arpa, **sc**onto, **sc**uola
sch (+ e, i)		**sch**ema, **sch**iavo
sc (+ e, i)	[ʃ]	**sc**elta, **sc**i
sci (+ a, e, o, u)		**sci**arpa, **sci**enza, la**sci**o, **sci**upare
v	[v]	**v**ento, **v**erde, **v**erdura

Osservate: **qu** *si pronuncia k + u (e non k + w).*

Nei dittonghi (due vocali insieme) ogni vocale mantiene per lo più il proprio suono, cioè le vocali si pronunciano separatamente, come ad esempio nelle parole *Europa* (e – u), *vieni* (i – e), *pausa* (a – u).
Le consonanti doppie devono essere pronunciate in modo distinto e la vocale che precede è breve: *vasetto, notte, valle, ufficio, troppo.*

L'accento

strada   (accento sulla penultima sillaba)
medico   (accento sulla terz'ultima sillaba)
telefonano   (accento sulla quart'ultima sillaba)
città   (accento sull'ultima sillaba)

Nella maggior parte delle parole italiane l'accento cade sulla penultima sillaba; ci sono però anche parole con accento sulla terz'ultima, quart'ultima e ultima sillaba. Solo nel caso di parole accentate sull'ultima sillaba si mette un accento grafico.
In alcuni casi si mette un accento grafico su parole monosillabiche identiche ma di significato diverso:

sì affermativo   **si** impersonale

L'italiano ha due accenti: *accento grave* come nella parola *caffè*
e *accento acuto* come nella parola *perché*.

Proposizioni enunciative e interrogative

La costruzione della frase in italiano è uguale sia nelle proposizioni enunciative che interrogative. L'unica differenza consiste nella melodia della frase (verso l'alto nella proposizione interrogativa).

▸ *Claudia è di Vienna.*

▸ *Claudia è di Vienna?*

Il nome

Il genere

I nomi possono essere maschili o femminili.
La maggior parte dei nomi in *-o* è maschile, la
maggior parte di quelli in *-a* è femminile. I
nomi in *-e* possono essere sia maschili che
femminili.

maschile	femminile
il libr**o**	la cas**a**
il signor**e**	la pension**e**

Esistono anche nomi femminili in *-o: la mano, la radio, la moto, la foto, l'auto.*
Viceversa, si trovano a volte nomi maschili in *-a: il cinema, il problema.*

I nomi che finiscono con una consonante di solito sono maschili: *il bar, lo sport.*

Lez. 2

I nomi di persona

Per i nomi che si riferiscono agli esseri viventi
di solito il genere grammaticale corrisponde al
genere naturale.
Nella maggioranza dei casi la vocale finale
maschile è *-o* e quella femminile è *-a*.

maschile	femminile
il commess**o**	la commess**a**
il bambin**o**	la bambin**a**

In alcuni casi esiste invece una sola forma per
maschile e femminile.

maschile	femminile
il colleg**a**	la colleg**a**
il turist**a**	la turist**a**
il frances**e**	la frances**e**
il client**e**	la client**e**

Alcuni nomi di persona che terminano al
maschile in *-e* formano il femminile in *-essa;*
i sostantivi in *-tore* formano il femminile in *-trice.*

maschile	femminile
lo student**e**	la student**essa**
il tradutt**ore**	la tradutt**rice**

Lez. 2

Grammatica

Il plurale

Formazione del plurale

I nomi maschili in -*o* e in -*e* formano il plurale in -*i*.
I nomi femminili in -*a* hanno il plurale in -*e;*
i nomi femminili in -*e* formano il plurale in -*i*.

	singolare	plurale
maschile	il negozi**o**	i negoz**i**
	il pont**e**	i pont**i**
femminile	la cas**a**	le cas**e**
	la nott**e**	le nott**i**

I nomi maschili in -*a* hanno il plurale in -*i*.

La forma femminile *la turista* al plurale diventa:
le turiste.

singolare	plurale
il problem**a**	i problem**i**
il turist**a**	i turist**i**

Lez. 3

Particolarità nella formazione del plurale

Desinenze invariabili

Tutti i nomi (sia maschili che femminili)
che terminano con una sillaba accentata o
con una consonante sono invariabili. Anche
le abbreviazioni *la foto* (*fotografia*), *la bici*
(*bicicletta*), *il cinema* (*cinematografo*) rimangono
invariate.

	singolare	plurale
maschile	il caffè	i caffè
	il film	i film
femminile	la città	le città
	la bici	le bici

Lez. 3

I nomi in -*ca*/-*ga*
hanno il plurale in -*che*/-*ghe*.

l'ami**ca** - le ami**che**

I nomi in -*co*/-*go* formano il plurale in
-*chi*/-*ghi*, se hanno l'accento sulla penultima
sillaba.

il tedes**co** – i tedes**chi**
l'alber**go** – gli alber**ghi**
Eccezione: l'ami**co** – gli ami**ci**

I nomi in -*co*/-*go*, con accento sulla terz'ultima
sillaba hanno il plurale in -*ci*/-*gi*.

il medi**co** – i medi**ci**
l'aspara**go** – gli aspara**gi**

I nomi in -*cia*/-*gia* hanno il plurale in -*ce*/-*ge,* se
la vocale finale è preceduta da una consonante.
Se la vocale finale è preceduta da un'altra vocale
o è una -*i*- accentata, i nomi hanno il plurale in
-*cie*/-*gie.*

la man**cia** – le man**ce**   la spiag**gia** – le spiag**ge**
la cami**cia** – le cami**cie**   la vali**gia** – le vali**gie**
la farma**cia** – le farma**cie**

I nomi in -*io* di solito hanno il plurale in -*i*.

il negoz**io** – i negoz**i**   il viag**gio** – i viag**gi**

Se la -*i*- della desinenza -*io* ha l'accento, la -*i*-
rimane anche nel plurale.

lo z**io** – gli z**ii**

Grammatica

Plurali irregolari

singolare	plurale
l'uovo	le uova
il paio	le paia
la mano	le mani

Esistono alcuni nomi che hanno solo il singolare e altri che hanno solo il plurale.

▶ *Qui c'è troppa gente.* (la gente, *sing.*)
▶ *Ho comprato dei pantaloni di lana.* (i pantaloni, *pl.*)
▶ *Ho visitato i dintorni di Firenze.* (i dintorni, *pl.*)

Lez. 6·10

L'articolo

La forma dell'articolo determinativo e indeterminativo cambia a seconda del genere e della lettera iniziale del nome che segue.

L'articolo indeterminativo

	maschile	femminile
davanti a consonante	**un** gelato	**una** camera
davanti a vocale	**un** amico	**un'**amica
davanti a h	**un** hotel	
davanti a s + consonante	**uno** straniero	
davanti a z	**uno** zucchino	
davanti a ps	**uno** psicologo	
davanti a y	**uno** yogurt	

Lez. 2

L'articolo determinativo

	maschile		femminile	
	singolare	plurale	singolare	plurale
davanti a consonante	**il** gelato	**i** gelati	**la** camera	**le** camere
davanti a vocale	**l'**amico	**gli** amici	**l'**amica	**le** amiche
davanti a h	**l'**hotel	**gli** hotel		
davanti a s + consonante	**lo** straniero	**gli** stranieri		
davanti a z	**lo** zucchino	**gli** zucchini		
davanti a ps/pn	**lo** psicologo	**gli** psicologi		
davanti a y	**lo** yogurt	**gli** yogurt		

Lez. 1·2
3

Grammatica

Uso dell'articolo determinativo

L'articolo determinativo si usa sempre

◆ davanti a *signore/signora* e davanti ai titoli che precedono un nome:
▸ *Le presento **il signor** Carli / **la signora** Attolini / **il dottor** Rossi.*

Lez. 2

Attenzione: quando ci si rivolge direttamente a qualcuno, l'articolo determinativo non si usa:
▸ *Buongiorno, **signor** Carli / **signora** Attolini / **dottor** Rossi.*

◆ davanti ai nomi di lingua:
▸ *Studio **il tedesco**, **l'inglese** e **lo svedese**. (ma anche: Studio **tedesco**, **inglese** e **svedese**.)*

Lez. 2

◆ davanti ai nomi di nazioni:
▸ ***La Germania** è un paese industriale.*

L'articolo non si usa invece quando il nome di una nazione è in combinazione con la preposizione **in**:
▸ *Vado spesso **in Italia**.*

Lez. 2

Lez. 4

◆ per l'orario:
▸ *Sono **le dieci**.*

La presenza dell'articolo determinativo davanti ad un giorno della settimana indica "ogni giorno", invece l'assenza dell'articolo indica il giorno "dopo" o "prima".
▸ ***Il sabato** vado a teatro. (ogni sabato)*
▸ ***Sabato** vado a teatro. (sabato prossimo)*
▸ ***Sabato** sono andato a teatro. (sabato scorso)*

I nomi dei mesi hanno l'articolo determinativo solo in combinazione con un aggettivo.
▸ ***Agosto** è un mese molto caldo.*
▸ ***L'agosto scorso** sono stata in Italia.*

Lez. 5

L'articolo partitivo

L'articolo partitivo (la preposizione **di** + l'articolo determinativo), indica una parte, una quantità indeterminata e significa "un po'", "qualche" o "alcuni, alcune".
▸ *Vorrei **del** formaggio. (un po' di formaggio)*
▸ *Ho comprato **del** pesce. (un po' di pesce)*
▸ *Ho mangiato **delle** arance. (alcune arance)*
▸ *Ho incontrato **degli** amici. (alcuni amici)*

Lez. 6·8

Grammatica

L'aggettivo

Le forme

Gli aggettivi concordano nel genere e nel numero con i nomi cui si riferiscono.
La maggior parte degli aggettivi maschili ha il singolare in *-o*, gli aggettivi femminili hanno per lo più il singolare in *-a*. Gli aggettivi in *-e* hanno invece la stessa forma sia per il maschile che per il femminile.

maschile	femminile
un museo fam**oso**	una chiesa fam**osa**
un museo interessant**e**	una chiesa interessant**e**

Lez. 6

Accordo dell'aggettivo

Gli aggettivi in *-o* hanno al plurale la desinenza *-i*, gli aggettivi in *-a* la desinenza *-e*. Gli aggettivi in *-e* hanno il plurale in *-i* sia al maschile che al femminile.

		singolare	plurale
maschile		il muse**o** fam**oso**	i muse**i** fam**osi**
		il muse**o** interessant**e**	i muse**i** interessant**i**
femminile		la chies**a** fam**osa**	le chies**e** fam**ose**
		la zon**a** interessant**e**	le zon**e** interessant**i**

Gli aggettivi in -co/-ca

Come i nomi, gli aggettivi in *-ca* hanno il plurale in *-che*. Gli aggettivi in *-co* hanno il plurale in *-chi*, se hanno l'accento sulla penultima sillaba e in *-ci* se hanno l'accento sulla terz'ultima.

singolare	plurale
chiesa anti**ca**	chiese anti**che**
trattoria tipi**ca**	trattorie tipi**che**
palazzo an̠ti**co**	palazzi an̠ti**chi**
ristorante ti̠pi**co**	ristoranti ti̠pi**ci**

Posizione dell'aggettivo

In italiano di solito l'aggettivo segue il nome. È così anche per i colori, per gli aggettivi di nazionalità, per gli aggettivi qualificativi e quando ci sono più aggettivi uno dopo l'altro.

- *Una città **tranquilla** / giacca **verde** / stanza **piccola e rumorosa***
- *Un tavolo **rotondo** / ragazzo **francese***

Alcuni aggettivi con forme brevi e molto usate di solito vanno prima del nome:
- *È una **bella** macchina.*

Ma se questi aggettivi hanno un'indicazione più precisa, allora seguono il nome:
- *È una macchina **molto bella**.*

Alcuni aggettivi possono stare prima o dopo il nome. In questo caso hanno due significati diversi.
- *Un **caro** bambino.* (un bambino buono) ▸ *Una macchina **cara**.* (una macchina costosa)

Gli aggettivi possessivi

maschile			femminile		
singolare		plurale	singolare		plurale
il mio		i miei	la mia		le mie
il tuo		i tuoi	la tua		le tue
il suo		i suoi	la sua		le sue
il Suo	⎤ libro	i Suoi	la Sua	⎤ camera	le Sue	⎤ amiche
il nostro		i nostri	la nostra		le nostre
il vostro		i vostri	la vostra		le vostre
il loro		i loro	la loro		le loro

Suo significa sia "di lui" che "di lei" e concorda con il nome che accompagna, non con la persona. È lo stesso anche per **suoi**, **sue**, ecc.
▸ *Marta viene con **il suo** amico tedesco.*
▸ *Enrico viene con **il suo** amico italiano.*

Suo (maiuscolo) si usa per la forma di cortesia.
▸ *Scusi, questo è il **Suo** giornale?*

Lez. 10

Loro è plurale e si riferisce a più persone.
▸ *Sandro e Maria hanno una macchina. La **loro** macchina è nuova.*

L'articolo con i possessivi

Gli aggettivi possessivi sono preceduti di solito dall'articolo determinativo. Con i nomi di famiglia al singolare non si usa l'articolo determinativo (*madre, padre, fratello, sorella,* ecc.): *mio fratello, tua madre*
Eccezioni:
- al plurale: ***i miei** fratelli;*
- con un altro aggettivo: ***il mio** caro fratello;*
- con i vezzeggiativi (nomi affettuosi): ***la mia** sorellina.*

Loro è sempre accompagnato dall'articolo: ***il loro** fratello.*

Lez. 10

Gradi dell'aggettivo

Il superlativo assoluto

Ci sono due forme per il superlativo: il superlativo assoluto e il superlativo relativo.
Il superlativo assoluto esprime il grado massimo di una qualità. Si forma con *molto*
(invariabile!) + l'aggettivo o aggiungendo *-issimo/-issima/-issimi/-issime* alla radice
dell'aggettivo. In questo caso gli aggettivi in *-e* prendono la desinenza *-o* per il maschile
e *-a* per il femminile (*elegante – elegantissimo/elegantissima*).

maschile		femminile	
molto tranquillo	tranquill**issimo**	**molto** tranquilla	tranquill**issima**
molto interessante	interessant**issimo**	**molto** interessante	interessant**issima**

Con gli aggettivi in *-co* e *-go*, si inserisce una *-h-*, in questo modo la pronuncia rimane la
stessa.
- *Ha pochissimi vestiti.*
- *Il viaggio come è stato? – Lunghissimo.*

Il superlativo assoluto si può esprimere anche ripetendo due volte l'aggettivo.
- *Vorrei un etto di mortadella tagliata **sottile sottile**.*

Lez. 7·8

Il superlativo relativo

Il superlativo relativo esprime il grado più alto di una qualità.
Si forma con: articolo + nome + *più* o *meno* + aggettivo.
- *Sono **le scarpe più vecchie** che ho.*
- *È **il ristorante meno caro** della città.*

Lez. 10

L'avverbio

L'avverbio ha la funzione di definire più precisamente verbi, aggettivi o anche altri avverbi.

- *Luigi parla sempre **lentamente**.*
- *Questo film è **veramente** interessante.*
- *Francesca parla **molto bene** il tedesco.*

Lez. 9

Formazione dell'avverbio

Gli avverbi sono sempre invariabili. Si formano con il femminile dell'aggettivo + *-mente*. Per gli aggettivi in *-e* il suffisso *-mente* si aggiunge direttamente.

aggettivo		avverbio
libero ➤	libera ➤	libera**mente**
tranquillo ➤	tranquilla ➤	tranquilla**mente**
elegante	➤	elegante**mente**

Gli aggettivi in *-le* e *-re* perdono la *-e* finale davanti a *-mente*.

normale ➤	normal**mente**
regolare ➤	regolar**mente**

Esistono anche avverbi con forme particolari: *di solito, certo, molto, ancora, adesso, presto, tardi.*

Avverbi irregolari sono *bene* (aggettivo: *buono*) e *male* (aggettivo: *cattivo*).

Funzione dell'avverbio

L'aggettivo descrive l'oggetto, l'avverbio definisce meglio il verbo.
▸ *Oggi ho avuto una **giornata normale**.* (aggettivo)
▸ *Il gelato è **buono**.* (aggettivo)
▸ ***Normalmente vado** al lavoro in macchina.* (avverbio)
▸ *Qui si **mangia bene**.* (avverbio)

Gradi (comparativo/superlativo) dell'avverbio

Come per l'aggettivo, anche per l'avverbio è possibile avere un grado di comparazione.
▸ *Lui parla **piano** / parla **più piano di** me / parla **pianissimo**.*

Lez. 7·9

I pronomi personali

I pronomi soggetto

Di solito i pronomi personali soggetto *io, tu*... non si usano perché il verbo contiene già l'indicazione della persona. I pronomi soggetto si usano solo quando si vuole mettere in risalto la persona o se manca il verbo.

singolare	io	plurale	noi
	tu		voi
	lui /lei/Lei		loro

▸ *Di dove sei? – Sono di Genova.*
▸ ***Io** sono di Genova. E **tu**?*

Lez. 1·2

La forma di cortesia si fa con la terza persona singolare femminile *lei*. Quando si parla a due o più persone si usa la terza persona plurale *loro* (ma spesso si usa anche la seconda persona plurale *voi*).

▸ *(Lei) è francese?*
▸ *Anche Loro sono di qui?*

I pronomi indiretti (complemento di termine)

In italiano i pronomi indiretti hanno forme atone e toniche.

Lez. 4

	forme atone	forme toniche		forme atone	forme toniche
singolare	mi	a me	plurale	ci	a noi
	ti	a te		vi	a voi
	gli	a lui		gli	a loro
	le	a lei			
	Le	a Lei			

Il pronome tonico si usa:

◆ quando si vuole dare particolare importanza al pronome;
▸ *A me non ha detto niente, **a lui** (invece) sì.*

◆ dopo una preposizione.
▸ *Vieni da **me**?*

I pronomi indiretti atoni vanno sempre prima del verbo, i pronomi indiretti tonici possono andare prima del verbo o anche prima del soggetto.
▸ *Questo vestito **mi** sembra troppo caro.*
▸ *Questo vestito **a me** sembra troppo caro. / **A me** questo vestito sembra troppo caro.*

La negazione *non* va prima del pronome atono ma segue quello tonico.
▸ *Questo colore **non le** piace.*
▸ ***A lei non** piace questo colore.*

I pronomi diretti (complemento oggetto)

singolare	forme atone	forme toniche	plurale	forme atone	forme toniche
	mi	me		ci	noi
	ti	te		vi	voi
	lo	lui		li	loro
	la	lei		le	loro
	La	Lei			

I pronomi diretti sostituiscono l'oggetto.

I pronomi *lo, la, li, le* concordano nel genere e nel numero con il nome sostituito:

Lez. 8

▸ *Quando vedi **Mario**? – **Lo** incontro domani.*
▸ *Quando vedi **Maria**? – **La** incontro domani.*
▸ *Quando vedi **i colleghi**? – **Li** incontro domani.*
▸ *Quando vedi **le colleghe**? – **Le** incontro domani.*

I pronomi diretti atoni vanno prima del verbo. Davanti a vocale o ad *h* i pronomi singolari *lo* e *la* prendono l'apostrofo ('). Invece i pronomi plurali *li* e *le* non prendono mai l'apostrofo.

▸ ***L'**accompagno / **Lo** accompagno domani.*
▸ ***L'**accompagno / **La** accompagno domani.*
▸ ***Li/Le** accompagno domani.*

Lo può anche sostituire una frase.

▸ *Dov'è Mario? – Non **lo** so.* (= non so **dov'è Mario**)

I pronomi diretti tonici seguono il verbo e si usano:

◆ per far risaltare qualcosa o qualcuno;
▸ *Chi vuole? – Vuole **te**.*

◆ in combinazione con una preposizione.
▸ *Questo è un regalo **per lei**.*

Dislocazione del complemento oggetto

Lez. 8

Quando si vuole dare risalto al nome (complemento oggetto), si usa metterlo all'inizio della frase, seguito dal pronome diretto.

▸ ***Il parmigiano** lo vuole stagionato o fresco?*
▸ ***Le olive** le vuole verdi o nere?*

Le particelle pronominali ne e ci

Ne sostituisce la quantità di una cosa nominata in precedenza.
▸ *Vorrei **del pane**. – Quanto **ne** vuole?*

▸ *Hai **dei pomodori**? – Sì, **ne** ho alcuni.*
        ne ho due.
        ne ho molti.

Lez. 6·8

Ci sostituisce un luogo nominato in precedenza.
▸ *Vai spesso **a Padova**? – Sì, **ci** vado spesso. (ci = a Padova)*

Questo

Questo/questa/questi/queste si riferisce a persone o cose che sono vicino a chi parla.

Può essere aggettivo o pronome.
Accompagna i nomi e concorda in genere e numero con la parola cui si riferisce.
▸ ***Questa** macchina è molto bella. – **Questa** invece no.*

Questo come aggettivo dimostrativo.
▸ ***Questo** vestito è stretto.*
▸ ***Questa** casa è cara.*

Lez. 2

Questo come pronome dimostrativo.
▸ ***Questo** è Giovanni.*
▸ ***Questa** è Maria.*
▸ ***Questi** sono Giovanni e Marco.*
▸ ***Queste** sono Maria e Anna.*

Gli indefiniti

poco, molto/tanto, troppo

Poco, molto/tanto, troppo possono essere usati come aggettivi, pronomi e avverbi. Come aggettivi e pronomi concordano in genere e numero con il nome cui si riferiscono, come avverbi sono invariabili.

Aggettivi indefiniti
- *Ho **poco** tempo.*
- *Hanno **tante** cose da fare.*

Pronomi indefiniti
- *Hai comprato delle uova?*
  *– Sì, ma **poche**.*
- *Quanti amici hai?*
  *– **Molti**.*

Avverbi indefiniti
- *Ho mangiato **troppo**.*
- *Abbiamo studiato **poco**.*
- *Il corso è stato **poco** interessante.*
- *Ho una casa **molto** bella.*

Lez. 4·6
8

qualche

Qualche è invariabile e il nome che segue è sempre singolare.
- *Ho avuto **qualche problema**.*
- *Oggi c'è **qualche nuvola**.*

Lez. 7

tutto

Tutto è seguito dall'articolo determinativo e dal nome cui si riferisce.
- *Ho studiato **tutto il** giorno.*
- *Ho studiato **tutti i** giorni.*
- *Ho studiato **tutta la** mattina.*
- *Ho studiato **tutte le** mattine.*

Lez. 7

Pronomi, aggettivi e avverbi interrogativi

	Esempio		*Esempio*
chi?	▸ *Chi sei?*	quale? + nome	▸ *Quale corso frequenta?*
(che) cosa?	▸ *(Che) cosa studi?*	quali? + nome	▸ *Quali corsi frequenta?*
che? + nome	▸ *Che giorno è oggi?*	quanto?	▸ *Quanto costa il libro?*
come?	▸ *Come sta?*	quanta? + nome	▸ *Quanta carne hai comprato?*
dove?	▸ *Dove abiti?*	quanti? + nome	▸ *Quanti amici hai?*
	▸ *Dove vai?*	quante? + nome	▸ *Quante amiche hai?*
di dove?	▸ *Di dove sei?*	quando?	▸ *Quando venite?*
qual? + *essere*	▸ *Qual è il tuo indirizzo?*	perché ?	▸ *Perché non telefoni?*
quali? + *essere*	▸ *Quali sono i tuoi hobby?*		

Lez. 1·2
3·4
5·6

L'aggettivo *quale* ha la forma *quale* al singolare e la forma *quali* al plurale.

▸ **Quale** *autobus devo prendere?*
▸ *A* **quale** *fermata devo scendere?*
▸ **Quali** *piatti italiani/ricette italiane conosce?*

Attenzione: davanti al verbo *essere, quale* perde la *e* diventando *qual* (senza apostrofo).

▸ **Qual** *è il tuo numero di telefono?*
▸ **Quali sono** *i tuoi interessi?*

Lez. 1·6

Il verbo

I verbi regolari si dividono in tre coniugazioni: verbi con l'infinito in *-are* (1ª coniugazione), verbi con l'infinito in *-ere* (2ª coniugazione), verbi con l'infinito in *-ire* (3ª coniugazione).

1. Coniugazione	2. Coniugazione	3. Coniugazione
abit**are**	prend**ere**	dorm**ire**

Lez. 2·3
4

Il presente

Verbi regolari

Le desinenze *-o, -i, -iamo* sono uguali per le tre coniugazioni.
La terza persona singolare si usa anche per la forma di cortesia: *Dove abita?*
Nella prima e nella seconda persona plurale e nell'infinito l'accento cade sulla penultima sillaba: *abitiamo, abitate, abitare.*
Negli altri casi l'accento segue la prima persona singolare: *abito, abiti, abita, abitano.*

	abitare	prendere	dormire	preferire
(io)	abit**o**	prend**o**	dorm**o**	prefer**isco**
(tu)	abit**i**	prend**i**	dorm**i**	prefer**isci**
(lui, lei, Lei)	abit**a**	prend**e**	dorm**e**	prefer**isce**
(noi)	abit**iamo**	prend**iamo**	dorm**iamo**	prefer**iamo**
(voi)	abit**ate**	prend**ete**	dorm**ite**	prefer**ite**
(loro)	abit**ano**	prend**ono**	dorm**ono**	prefer**iscono**

Verbi irregolari al presente

In italiano ci sono alcuni verbi che al presente hanno forme irregolari. Ecco una lista dei verbi irregolari di questo manuale:

andare	(Lezione 4)	**sapere**	(Lezione 6)
avere	(Lezione 1)	**stare**	(Lezione 2)
dovere	(Lezione 6)	**uscire**	(Lezione 4)
essere	(Lezione 1)	**venire**	(Lezione 5)
fare	(Lezione 2)	**volere**	(Lezione 3)
potere	(Lezione 5)		

Per la coniugazione di questi verbi vedi la Lista dei verbi irregolari a pag. 230.

Lez. 4·6·8

Verbi in -care/ -gare, -ciare/ -giare, -gere e -scere

	gio**care**	pa**gare**	comin**ciare**	man**giare**	leg**gere**	cono**scere**
(io)	gioco	pago	comincio	mangio	leggo	conosco
(tu)	giochi	paghi	cominci	mangi	leggi	conosci
(lui, lei, Lei)	gioca	paga	comincia	mangia	legge	conosce
(noi)	giochiamo	paghiamo	cominciamo	mangiamo	leggiamo	conosciamo
(voi)	giocate	pagate	cominciate	mangiate	leggete	conoscete
(loro)	giocano	pagano	cominciano	mangiano	leggono	conoscono

Con i verbi in *-care/-gare*, alla seconda persona singolare e alla prima persona plurale si mette una *h* tra *c/g* e *are*; in questo modo la pronuncia rimane la stessa.

Nei verbi in *-ciare/-giare*, la *-i-* radicale e la *-i-* della desinenza si uniscono, così le forme della seconda persona singolare e della prima persona plurale hanno solo una *-i-*.

Nei verbi in *-gere* e *-scere* la pronuncia della *g* e della *sc* cambia quando la vocale che segue è *o* oppure *e/i*:

leggo [-go], leggi [-ʤi], conosco [-sko], conosci[-ʃi].

Il verbo piacere

Quando il verbo *piacere* è seguito da un altro verbo, quest'ultimo si lascia all'infinito e il verbo *piacere* si coniuga alla terza persona singolare. Quando *piacere* è seguito da un nome al singolare, il verbo *piacere* si coniuga alla terza persona singolare; quando il nome che segue è al plurale, il verbo *piacere* si coniuga alla terza persona plurale.

▸ *Mi **piace** leggere.* (infinito)
▸ *Ti **piace** questa musica?* (singolare)
▸ *Mi **piace** la pizza.* (singolare)
▸ *Le **piacciono** tutti i libri.* (plurale)

Lez. 4

c'è, ci sono

Il verbo *esserci* esiste solo nelle forme *c'è* e *ci sono*. *C'è* si usa con i nomi al singolare e *ci sono* con i nomi al plurale.

▸ **C'è** *un parcheggio qui vicino?*
▸ **Ci sono** *due/delle camere libere per domani?*

Attenzione: con la domanda *c'è un/una/uno...?* si chiedono informazioni sull'esistenza di qualcosa di impreciso; con la domanda *dov'è il/la...?* si chiedono informazioni sull'esistenza di qualcosa di preciso.

▸ **C'è** *un ristorante qui vicino?*
▸ **Dov'è** *il ristorante «Al sole» ?*

Lez. 5

I verbi riflessivi

Lez. 9

I verbi riflessivi si coniugano come verbi normali. Il pronome riflessivo viene sempre prima del verbo.

La negazione *non* viene prima del pronome riflessivo.

▸ *Domani **non mi** alzo presto.*

	riposar**si**
(io)	**mi** riposo
(tu)	**ti** riposi
(lui, lei, Lei)	**si** riposa
(noi)	**ci** riposiamo
(voi)	**vi** riposate
(loro)	**si** riposano

La costruzione impersonale

Lez. 8

La costruzione impersonale si fa con *si + verbo*. Se il nome che segue è singolare, il verbo si coniuga alla terza persona singolare; se il nome è plurale, il verbo si coniuga alla terza persona plurale.

▸ *Qui **si parla** francese.*
▸ *Qui **si parlano** quattro lingue.*

Il passato prossimo

Lez. 7

Il *passato prossimo* si forma con il presente di *avere* o *essere* (verbi ausiliari) + il participio passato del verbo.

infinito	participio passato
mang**iare**	mang**iato**
av**ere**	av**uto**
part**ire**	part**ito**

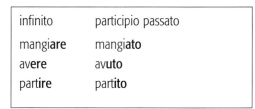

I verbi regolari in *-are* hanno il participio passato in *-ato*, i verbi in *-ere* hanno il participio passato in *-uto*, i verbi in *-ire* hanno il participio passato in *-ito*.

Il passato prossimo con avere

	avere	participio passato
(io)	ho	mangiato
(tu)	hai	mangiato
(lui, lei, Lei)	ha	mangiato
(noi)	abbiamo	mangiato
(voi)	avete	mangiato
(loro)	hanno	mangiato

Quando l'ausiliare è *avere*, il *participio passato* è invariabile.
▸ *Davide **è** **andato** a Stromboli.*
▸ *Daniela **è** **andata** a Bolzano.*

Il passato prossimo con essere

	essere	participio passato
(io)	sono	andato/-a
(tu)	sei	andato/-a
(lui, lei, Lei)	è	andato/-a
(noi)	siamo	andati/-e
(voi)	siete	andati/-e
(loro)	sono	andati/-e

Quando l'ausiliare è *essere*, il *participio passato* concorda in genere e numero con il soggetto.
▸ *Davide e Daniela **sono andati** in vacanza.*
▸ *Daniela e Maria **sono andate** al lavoro.*

La negazione *non* va prima del verbo ausiliare. Il participio passato segue sempre il verbo ausiliare.
▸ *Davide **non è** **andato** a Firenze.*

Molti verbi, specialmente quelli in *-ere*, hanno un participio passato irregolare.

essere	sono **stato/-a**	fare	ho **fatto**
rimanere	sono **rimasto/-a**	leggere	ho **letto**
venire	sono **venuto/-a**	mettere	ho **messo**
aprire	ho **aperto**	prendere	ho **preso**
bere	ho **bevuto**	scegliere	ho **scelto**
chiudere	ho **chiuso**	scrivere	ho **scritto**
dire	ho **detto**	vedere	ho **visto**

Lez. 7

Il passato prossimo con i verbi riflessivi

Il passato prossimo dei verbi riflessivi si forma con l'ausiliare *essere*.
Il participio concorda quindi in genere e numero con il soggetto.

Lez. 10

(io)	mi sono	
(tu)	ti sei	trasferit**o** / trasferit**a**
(lui, lei, Lei)	si è	
(noi)	ci siamo	
(voi)	vi siete	trasferit**i** / trasferit**e**
(loro)	si sono	

Uso dell'infinito

L'*infinito* senza preposizione si usa con una serie di verbi e di espressioni impersonali.

essere + aggettivo/avverbio	▸ **È possibile** *pagare subito?*
potere	▸ **Posso** *uscire?*
dovere	▸ **Devo** *venire alle otto?*
volere	▸ **Vorrei** *andare al cinema.*
preferire	▸ **Preferisco** *venire più tardi.*
piacere	▸ *Ti* **piace** *viaggiare?*
desiderare	▸ **Desidero** *stare tranquillo.*

Con certi verbi ed espressioni si usa spesso una preposizione prima dell'infinito.

andare a	▸ *Quando* **vai a** *sciare?*
cominciare a	▸ *Quando* **cominci a** *lavorare?*
provare a	▸ **Proviamo a** *studiare il russo?*
fare attenzione a	▸ *Devi* **fare attenzione a** *non lavorare troppo.*
cercare di	▸ **Cerco di** *lavorare seriamente.*
finire di	▸ *A che ora* **finisci di** *lavorare?*
avere intenzione di	▸ **Hai intenzione di** *venire?*
pregare di	▸ *La* **prego di** *rispondere.*

La negazione

In italiano la negazione si esprime con *no, non* o con la forma *non + avverbi/pronomi*.
▸ *Sei di Berna?* – **No,** *di Zurigo.*
▸ *La stanza* **non** *è libera.*
▸ *Vuoi un caffè?* – *Perché* **no?**

Quando c'è un pronome complemento o riflessivo, *non* va prima del pronome.
▸ **Non** *lo so.*
▸ **Non** *ti alzi sempre presto?*

Lez. 2·3
4

La doppia negazione

Quando *niente, più* e *mai* seguono il verbo, si deve usare la negazione *non* prima del verbo.

non… niente	▸ **Non** *ho fatto* **niente** *di particolare.*
non… più	▸ *Adesso* **non** *piove* **più.**
non… mai	▸ **Non** *vai* **mai** *a ballare?*

Lez. 7

Grammatica

Le preposizioni

Le *preposizioni* collegano tra loro gli elementi di una frase.
In italiano ci sono le seguenti *preposizioni semplici*: *di, a, da, in, con, su, per, tra* e *fra*.
Le preposizioni *di, a, da, in, su* si uniscono all'articolo determinativo e formano una sola parola (*preposizioni articolate*).

+	il	lo	l'	la	i	gli	le
di	del	dello	dell'	della	dei	degli	delle
a	al	allo	all'	alla	ai	agli	alle
da	dal	dallo	dall'	dalla	dai	dagli	dalle
in	nel	nello	nell'	nella	nei	negli	nelle
su	sul	sullo	sull'	sulla	sui	sugli	sulle

Lez. 2·4
5

Quello che segue è un quadro sintetico delle funzioni e dell'uso delle preposizioni.

La preposizione *di*

Provenienza
▸ *Sei di qui? – No, sono **di Ferrara**.*

Tempo
▸ ***di** mattina/**di** sera*
▸ ***di** giorno/**di** notte*
▸ ***di** domenica*

Materiale/Contenuto
▸ *una cravatta **di seta***
▸ *una bottiglia **di vino***

Quantità
▸ ***un chilo di** zucchero*
▸ ***un litro di** latte*
▸ ***un po' di** pane*

Funzione partitiva
▸ *Vorrei **del pesce**.*

Specificazione
▸ *Luigi è il figlio **di Franco**.*
▸ *Questi sono gli orari **dei negozi**.*

Paragone
▸ *Edoardo è più piccolo **di Piero**.*
▸ *Il Po è più lungo **dell'Adige**.*

Argomento
▸ *corso **d'italiano***

In combinazione con alcuni verbi/forme verbali
▸ *Ho intenzione **di andare** in Italia in estate.*
▸ *Finisco **di lavorare** alle 18.*
▸ *Che **ne dici di** quel film?*

La preposizione *a*

Stato in luogo e moto a luogo

Sono/Vado a Firenze/casa/scuola/teatro.
Sono/Vado al bar/ristorante/cinema.

Distanza
- ▸ *a 50 metri dal mare*
- ▸ *a 10 chilometri da Roma*

Tempo
- ▸ *alle due/a mezzanotte*
- ▸ *A più tardi!/A domani!*
- ▸ *Vieni a Natale/a Pasqua?*

Modo o maniera
- ▸ *tè al limone*
- ▸ *andare a piedi*

Complemento di termine
- ▸ *Ho scritto a mia madre.*

Distributivo
- ▸ *due volte al giorno*
- ▸ *una volta alla settimana*

In combinazione con alcuni verbi
- ▸ *Vado spesso a ballare.*
- ▸ *Adesso comincio a studiare.*

La preposizione *da*

Stato in luogo/Moto a luogo
- ▸ *Com'è il tempo da voi?*
- ▸ *Domani vado da una mia amica.*

Provenienza
- ▸ *Da dove viene? – Da Roma.*
- ▸ *il treno da Milano*

Tempo
- ▸ *Lavoro qui da cinque anni.*
- ▸ *Da lunedì comincio un nuovo lavoro.*
- ▸ *Lavoro da lunedì a sabato.*
- ▸ *Lavoro dalle 8 alle 17.*

Scopo
- ▸ *scarpe da ginnastica*

La preposizione *in*

Stato in luogo/Moto a luogo
- ▸ *Sono/Vado in Italia/banca/vacanza.*

Modo o maniera
- ▸ *andare in treno o in macchina*

Tempo
- ▸ *in gennaio/inverno*

La preposizione *con*

Compagnia
- ▸ *Esci sempre con gli amici?*

Qualità
- ▸ *Per me un cornetto con la marmellata.*
- ▸ *Mi piacciono le scarpe con i tacchi alti.*

Mezzo
- ▸ *pagare con la carta di credito*
- ▸ *andare con la macchina*

La preposizione *su*

Luogo
▸ Ho fatto un'escursione **sulle Alpi**.
▸ Sono salito anche **sul cratere**.
▸ navigare **su Internet**

Argomento
▸ Vorrei una guida/un libro **sulla Toscana**.

La preposizione *per*

Destinazione
▸ **Per me** un caffè, per cortesia.

Fine
▸ Siamo qui **per visitare** la città.

Tempo
▸ **Per quanto tempo** resta qui?
▸ Posso restare qui solo **per un'ora**.

Moto a luogo con il verbo "partire"
▸ L'altro ieri è partito **per la Svezia**.

Scopo
▸ Sono qui **per (motivi di) lavoro**.

Modi di dire
▸ Può venire **per piacere/per cortesia/per favore**?
▸ **Per fortuna** è arrivata.
▸ **Per carità!**
▸ **Per esempio**

La preposizione *fra/tra*

Tempo
▸ Il corso d'italiano finisce **fra due mesi**.
▸ Vengo **fra le due e le due e mezza**.

Luogo
▸ La chiesa è **fra il museo e il teatro**.

Altre preposizioni

dietro	▸ **Dietro la stazione** c'è una chiesa.
dopo	▸ Torno a casa **dopo le dodici**.
	▸ **Dopo cena** resti a casa?
durante	▸ **Durante le vacanze** non voglio fare niente!
senza	▸ La coca **senza ghiaccio**, per cortesia.
sopra	▸ Oggi la temperatura è **sopra la media**.
sotto	▸ **Sotto il cappotto** indossa un vestito blu.
verso	▸ Vengo **verso mezzanotte/verso le nove/verso l'una**.

Locuzioni preposizionali

accanto a

di fronte a

davanti a

fino a

in mezzo a

insieme a

prima di

oltre a

vicino a

▸ *La chiesa è **accanto alla stazione**.*

▸ *Abitiamo **di fronte alla stazione**.*

▸ ***Davanti alla posta** c'è una cabina telefonica.*

▸ *Resto fuori **fino a tardi/fino alle due**.*

▸ *Lei va **fino alla stazione**.*

▸ ***In mezzo all'incrocio** c'è un semaforo.*

▸ *Oggi esco **insieme a un mio amico**.*

▸ *Vengo **prima delle otto/prima della lezione**.*

▸ ***Oltre al pane** puoi comprare del latte?*

▸ *Abito **vicino all'ospedale**.*

Le congiunzioni

Le congiunzioni uniscono due elementi di una frase o collegano due frasi tra loro.
Queste sono le congiunzioni presenti nel manuale:

e / **o** / **oppure** / **anche** / **pure** / **ma** / **però** / **dunque** / **perché** / **quando** / **mentre** / **se** / **per + Infinito**

I numeri e la data

Lez. 1·2
5

I cardinali da *0* a *99*

0 zero	20 venti	40 quaranta	60 sessanta	80 ottanta
1 uno	21 **ventuno**	41 **quarantuno**	61 **sessantuno**	81 **ottantuno**
2 due	22 ventidue	42 quarantadue	62 sessantadue	82 ottantadue
3 tre	23 ventitré	43 quarantatré	63 sessantatré	83 ottantatré
4 quattro	24 ventiquattro	44 quarantaquattro	64 sessantaquattro	84 ottantaquattro
5 cinque	25 venticinque	45 quarantacinque	65 sessantacinque	85 ottantacinque
6 sei	26 ventisei	46 quarantasei	66 sessantasei	86 ottantasei
7 sette	27 ventisette	47 quarantasette	67 sessantasette	87 ottantasette
8 otto	28 **ventotto**	48 **quarantotto**	68 **sessantotto**	88 **ottantotto**
9 nove	29 ventinove	49 quarantanove	69 sessantanove	89 ottantanove
10 dieci	30 trenta	50 cinquanta	70 settanta	90 novanta
11 undici	31 **trentuno**	51 **cinquantuno**	71 **settantuno**	91 **novantuno**
12 dodici	32 trentadue	52 cinquantadue	72 settantadue	92 novantadue
13 tredici	33 trentatré	53 cinquantatré	73 settantatré	93 novantatré
14 quattordici	34 trentaquattro	54 cinquantaquattro	74 settantaquattro	94 novantaquattro
15 quindici	35 trentacinque	55 cinquantacinque	75 settantacinque	95 novantacinque
16 sedici	36 trentasei	56 cinquantasei	76 settantasei	96 novantasei
17 diciassette	37 trentasette	57 cinquantasette	77 settantasette	97 novantasette
18 diciotto	38 trentotto	58 cinquantotto	78 settantotto	98 novantotto
19 diciannove	39 trentanove	59 cinquantanove	79 settantanove	99 novantanove

Nei numeri che finiscono in -*uno* e -*otto* cade la vocale finale delle decine: es. *trentuno/trentotto*.
I numeri composti con -*tré* hanno l'accento.

I cardinali da 100

100 cento	101 centouno	112 centododici
200 duecento	250 duecentocinquanta	290 duecentonovanta
800 ottocento	900 novecento	933 novecentotrentatré
1.000 mille	2.000 duemila	10.000 diecimila
1.000.000 un milione	2.000.000 due milioni	
1.000.000.000 un miliardo	2.000.000.000 due miliardi	

Da notare che il plurale di *mille* è -*mila*: 3.000 = *tremila*
Il plurale di *milione* e *miliardo* è *milioni* e *miliardi*.

Gli ordinali

1° primo	2° secondo	3° terzo	4° quarto	5° quinto
6° sesto	7° settimo	8° ottavo	9° nono	10° decimo

Gli ordinali sono aggettivi, perciò concordano in genere e numero con il nome cui si riferiscono.
▸ *la seconda traversa / il terzo ponte / la quinta fermata*

La data

Per la data si usano i numeri cardinali. Solo per il primo del mese si usa il numero ordinale:
▸ *1° marzo 2000 = primo marzo duemila*

La data nelle lettere si scrive così:
▸ *Milano, 5 ottobre 2014 o Milano, 5/10/2014*

Domande utili:
▸ *Quanti ne abbiamo?   – È il 21.*
▸ *Che giorno è oggi?   – Martedì.*

Lez. 5

Lista dei verbi irregolari

Infinito	Tempo	Forma
andare	*presente indicativo*	vado, vai, va, andiamo, andate, vanno
	passato prossimo	sono andato/-a
aprire	*presente indicativo*	apro, apri, apre, apriamo, aprite, aprono
	passato prossimo	ho aperto
avere	*presente indicativo*	ho, hai, ha, abbiamo, avete, hanno
	passato prossimo	ho avuto
bere	*presente indicativo*	bevo, bevi, beve, beviamo, bevete, bevono
	passato prossimo	ho bevuto
capire	*presente indicativo*	capisco, capisci, capisce, capiamo, capite, capiscono
	passato prossimo	ho capito
cercare	*presente indicativo*	cerco, cerchi, cerca, cerchiamo, cercate, cercano
	passato prossimo	ho cercato (così anche tutti i verbi in *-care*)
chiudere	*presente indicativo*	chiudo, chiudi, chiude, chiudiamo, chiudete, chiudono
	passato prossimo	ho chiuso
conoscere	*presente indicativo*	conosco, conosci, conosce, conosciamo, conoscete, conoscono
	passato prossimo	ho conosciuto (così anche tutti i verbi in *-scere*)
dire	*presente indicativo*	dico, dici, dice, diciamo, dite, dicono
	passato prossimo	ho detto
dovere	*presente indicativo*	devo, devi, deve, dobbiamo, dovete, devono
	passato prossimo	ho dovuto
essere	*presente indicativo*	sono, sei, è, siamo, siete, sono
	passato prossimo	sono stato/-a
fare	*presente indicativo*	faccio, fai, fa, facciamo, fate, fanno
	passato prossimo	ho fatto
finire	*presente indicativo*	finisco, finisci, finisce, finiamo, finite, finiscono
	passato prossimo	ho finito
giocare	*presente indicativo*	gioco, giochi, gioca, giochiamo, giocate, giocano
	passato prossimo	ho giocato
leggere	*presente indicativo*	leggo, leggi, legge, leggiamo, leggete, leggono
	passato prossimo	ho letto (così anche tutti i verbi in *-gere*)
mettere	*presente indicativo*	metto, metti, mette, mettiamo, mettete, mettono
	passato prossimo	ho messo
pagare	*presente indicativo*	pago, paghi, paga, paghiamo, pagate, pagano
	passato prossimo	ho pagato (così anche tutti i verbi in *-gare*)
piacere	*presente indicativo*	(mi) piace – (mi) piacciono
	passato prossimo	(mi) è piaciuto/-a; (mi) sono piaciuti/-e
potere	*presente indicativo*	posso, puoi, può, possiamo, potete, possono
	passato prossimo	ho potuto
prendere	*presente indicativo*	prendo, prendi, prende, prendiamo, prendete, prendono
	passato prossimo	ho preso
rimanere	*presente indicativo*	rimango, rimani, rimane, rimaniamo, rimanete, rimangono
	passato prossimo	sono rimasto/-a
sapere	*presente indicativo*	so, sai, sa, sappiamo, sapete, sanno
	passato prossimo	ho saputo
scegliere	*presente indicativo*	scelgo, scegli, sceglie, scegliamo, scegliete, scelgono
	passato prossimo	ho scelto
scrivere	*presente indicativo*	scrivo, scrivi, scrive, scriviamo, scrivete, scrivono
	passato prossimo	ho scritto
stare	*presente indicativo*	sto, stai, sta, stiamo, state, stanno
	passato prossimo	sono stato/-a
uscire	*presente indicativo*	esco, esci, esce, usciamo, uscite, escono
	passato prossimo	sono uscito/-a
vedere	*presente indicativo*	vedo, vedi, vede, vediamo, vedete, vedono
	passato prossimo	ho visto
venire	*presente indicativo*	vengo, vieni, viene, veniamo, venite, vengono
	passato prossimo	sono venuto/-a
volere	*presente indicativo*	voglio, vuoi, vuole, vogliamo, volete, vogliono
	passato prossimo	ho voluto

Grammatica

LEZIONE 1 – Amici

1 1a, 2b, 3a

2 1 Lui si chiama Federico, 2 Andrew è australiano

3 c-a-e-b-d

4 A Ehi, Federico! Ciao! B Andrea! Ciao! C Io sono Andrea. E tu come ti chiami?

5 c

LEZIONE 2 – L'annuncio

1 1c, 6b, 7a

3 1V, 2F, 3F, 4V, 5F

LEZIONE 3 – Un pranzo veloce

3 a-4; b spaghetti ai frutti di mare, pizza Quattro stagioni, pizza Margherita, cotoletta alla milanese, acqua naturale; c Matteo vuole MANGIARE spaghetti ai frutti di mare, ma prende una pizza Margherita; vuole BERE acqua gasata, ma prende acqua naturale; Federico vuole MANGIARE una pizza Quattro stagioni, ma prende una pizza Margherita; vuole BERE una birra piccola, ma prende una birra in bottiglia e acqua naturale

4 4-5-2-1-3

5 1 dai, 2 Allora, 3 allora, 4 Allora

LEZIONE 4 – Il quiz psicologico

2 a3, b2

3 Laura dice che Federico: non cucina mai, sta sempre su internet; Federico dice che lui: esce spesso con gli amici, fa sport qualche volta, sta su internet due-tre ore al giorno

4 1b, 2b, 3c

5 sono, gioca, legge, chiede, esce, piacciono, vuole, risponde, continua, fa, cucina, sta, arriva, chiede, vogliono, prende, è, prendi

LEZIONE 5 – In vacanza

1 a. Qui è tutto bellissimo: abbiamo una camera grande, luminosa!, b. Sì!!!, c. Sì, c'è una camera libera?, d. Allora, che cosa preferisci: al prosciutto e formaggio o con la mortadella?

2 LAURA: camera grande, terzo piano, vasca con l'idromassaggio, panorama, piscina, giardino; FEDERICO: due bagni, vista sul mare

3 Federico non dice mai la verità

LEZIONE 6 – La seconda a destra

1 Situazione A: 3-4-7; Situazione B: 2-4-5-7: Situazione C: 1-4-6-7

2 1F, 2V, 3V, 4F, 5V, 6F, 7F

3 A castello, B chiesa, C museo

4 dei, nella, c'è, ci sono, tipiche, alle, Ci

5

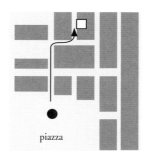

LEZIONE 7 – Cos'hai fatto tutto il giorno?

2 LAURA ha messo in ordine (la casa) – fotogramma A; ha letto una rivista – fotogramma B; VALENTINA E MATTEO hanno fatto una gita (in campagna) – fotogramma C; hanno mangiato al ristorante – fotogramma D

3 1 V, 2 F, 3 F, 4 V, 5 F, 6 V

4 Ho passato, è stata, siete tornati, abbiamo fatto, siamo tornati

5 1 sporchissima, 2 ordinatissima, 3 cattivissimo, 4 carissimo

LEZIONE 8 – Il panino perfetto

2 a. Un attimo, un attimo per favore! c. Fette sottili, però eh! Così. d. Per un buon picnic deve avere almeno due tipi di panini

4 FEDERICO ha una lista per la spesa-chiede quanti pomodori comprare; SALUMIERE chiede una ricetta-dà una ricetta-chiede cosa deve fare con il prosciutto

5 1a, 2a

6 PANINO 1: prosciutto, olive, pecorino; PANINO 2: Prima deve **cuocere** i **peperoni** e la **melanzana**, poi **taglia** il **pomodoro** a fette e alla fine, ma solo alla fine, **aggiunge** un filo d'**olio extravergine d'oliva!**

LEZIONE 9 – L'agenda di Laura

1 LAURA: esce con le amiche, esce con Marina, va a yoga, va a un concerto; FEDERICO: guarda la partita, va a mangiare una pizza con gli amici

2 La telefonata si svolge domenica.

3 Lunedì: va a yoga dalle 7 alle 9; Giovedì: non può; Venerdì: esce con le amiche; Sabato: va a un concerto

4 Alla festa

5 Crepi

6 1c, 2b

7 Stasera, Alle sei e mezzo, domani, dalle sette alle nove, Mi sveglio, Vi alzate

LEZIONE 10 – La famiglia della sposa

1 Invito al matrimonio, vestito da sposa, fiori

2 1 un'amica, 2 un invito di nozze, 3 è sposato da qualche anno, 4 due sorelle sposate e una non sposata, 5 ha perso i capelli

3 c

4 Ma che bella, è la foto di matrimonio di tuo fratello, vero? - Sì. Eh, ormai sono già passati cinque anni da quando si è sposato… Tu la moglie non la conosci, vero? - No, mai vista. Questa chi è? Sua sorella? - Sì, una delle sue sorelle: ne ha tre! Questa è la più grande, ma è l'unica non sposata. Pensa, ora vive a New York

5 mi, mia, tuo, Tu, Sua, sue, nostro

SOLUZIONI DEGLI ESERCIZI

LEZIONE 1

1

	8:00	19:00
con il "tu"	ciao	ciao
con il "Lei"	buongiorno	buona sera

2 1. Buona, Lei, piacere; 2. sono, come, chiami, Poli; 3. mi chiamo, tu; 4. Scusi, come, Lei, chiamo

3 1. Alcide De Gasperi
2. Euridice Ciocca
3. Gherardo Cicchitto
4. Sergio Giangi
5. Marcello Cenciarelli
6. Gianni Ghisa

4

1	B	U	O	N	G	I	O	R	N	O	
2	P	I	A	C	E	R	E				
3	C	A	F	F	È						
4 M	E	D	I	C	O						
5	C	H	I	T	A	R	R	A			
6 G	I	O	R	N	A	L	E				
7	Z	U	C	C	H	E	R	O			
8 S	P	A	G	H	E	T	T	I			
9	G	A	T	T	O						
10 C	I	N	E	M	A						

5 1. c; 2. d; 3. e; 4. b; 5. a

6 Germania, Italia, Francia, Spagna, Portogallo, Svizzera, Irlanda, Inghilterra

7 A
1. Lei è il signor Fellini?
5. No, sono portoghese, e Lei? È italiano?
3. Sì. Piacere.
B
4. Piacere. Lei è spagnola?
2. Sì, e lei è la signora Rodriguez?
6. Sì, sono di Milano.

8 1. sono; 2. è; 3. Mi chiamo, si chiama; 4. sei;
5. ti chiami; 6. è

9

	1	2		
	D	C		

(crossword grid)

10 13 – 4 – 15 – 6 – 16 – 11 – 17 – 18 – 19 – 7

11 ha, ha, hai, ho, ha, hai

12

Partenza

C	F	G	I	O	R	U	G
venti	otto	sei	venti	dieci	tre	sedici	cinque
I	A	H	R	S	T	Z	F
diciannove	diciotto	nove	undici	nove	diciotto	quindici	sette
B	O	P	L	S	I	O	L
due	diciassette	dodici	diciannove	otto	sette	tre	due
D	A	A	M	P	M	V	T
sette	sedici	tredici	uno	diciassette	sei	quattro	uno
E	L	L	N	Q	A	Q	A
dodici	quindici	quattordici	zero	dodici	cinque	quattordici	zero

Arrivo

CIAO, ALLA PROSSIMA VOLTA!

13 Germania, buongiorno, ciao, macchina, giornale,
spaghetti, prego, zucchero, chitarra, lago, Garda,
ragù, piacere, arrivederci, cuoco, cuore, funghi,
caffè

LEZIONE 2

1 2. Ciao, come va? Benissimo, grazie.
3. Come sta, signora? Bene, grazie. E Lei?
4. Questo è Ugo, un mio amico. Molto lieto.
5. Paolo parla inglese? Sì, molto bene.
6. Le presento la signora Blasi. Piacere Monti.

2 una mia amica; il signor Vinci; spagnola;
portoghese; molto lieta; questo

3 una, la, lo, l', un, il, il

4 Noi - lavoriamo - in - una scuola; Teresa - fa - la
segretaria; Io - abito - a - Bologna; Hans - è - di -
Berlino; Carlo e Serena - sono - avvocati

5 di, a, fa, una, è, un', uno

6 1. A Torino; 2. No; 3. No; 4. È spagnolo;
5. Fa l'architetto; 6. No; 7. Sì; 8. Colette.

7 un   amico, architetto, ufficio, operaio, corso,
ingegnere, ospedale, numero, negozio,
signore

uno   studio, studente
una   signora, casa, libreria, segretaria
un'   agenzia, amica, operaia

8 1. fa; 2. sta; 3. lavora; 4. abitiamo; 5. abitate;
6. sono, lavoro; 7. sono; 8. Siete

9 1. Ospedale; 2. Ristorante; 3. Fabbrica;
4. Farmacia; 5. Scuola; 6. Supermercato

10 1. Sono, ristorante; 2. fa, lo; 3. Siamo, scuola;
4. figlio; 5. studiano, un, l'

11 12 81 32 6 – 81 40 89 – 68 18 1 24 –
9 33 2 1 7

12 orizzontali: 1. NOVANTA; 4. DODICI;
8. CENTO; 9. TRENTA; 10. SEI;
11. SETTANTOTTO; 12. OTTANTASEI;
13. TRE; 14. OTTANTOTTO;
15. SETTE; 16. ZERO
verticali: 2. VENTINOVE; 3. TRENTA-
QUATTRO; 4. DICIASSETTE; 5. DICIOTTO;
6. CINQUANTADUE; 7. QUARANTANOVE;
10. SETTANTA

13 1. **Chi** è Igor? - f. Un mio amico di Mosca.
2. **Quanti** anni hai? - h. 48.
3. **Di dove** sei? - e. Di Palermo.
4. **Che** lingue parli? - b. L'italiano e il greco.
5. **Come** stai? - g. Non c'è male, grazie.
6. **Dove** lavorate? - c. In un'agenzia pubblicitaria.
7. **Come** ti chiami? - d. Giuseppe.
8. **Qual** è il tuo indirizzo? - a. Via Verdi 17.

14 1. Come va?; 2. Grazie; 3. Piacere; 4. Come, scusi?;
5. Arrivederci

16 Franco parla bene il tedesco.
Lara è di Merano?
Questo è Guido?
Maria non è portoghese.
Hans è di Vienna?
La signora Rossetti non sta bene.
Lei è irlandese.
Sei tedesco?

TEST 1

1 3. ■ Buongiorno signora. ▼ Buongiorno.
2. ■ Buonasera, sono Ugo Rea. ▼ Piacere, Antonio Dominici.
1. ■ Arrivederci professore. ▼ Arrivederci.

2 ■ Io sono italiano, e tu, **di dove sei?** - ▼ Io sono argentino, e Lei **di dov'è?**

3 ■ Lei è italiano? ▼ Sì, sì, **sono** italiano. ■ Come si **chiama?** ▼ Mi **chiamo** Carlo Ghisolfi. ■ Come si **scrive?** ▼ Gi, acca, i, esse, o, elle, effe, i. ■ Qual è il suo indirizzo? ▼ Via XX Settembre 328. ■ Lei **ha** un cellulare? ▼ Sì. Il numero è 3290023498.

4 Chi è Luisa? È una mia amica. - Che lingue parli? L'inglese e il francese. - Che lavoro fai? La farmacista - Dove lavori? In un ristorante. - Quanti anni hai? Ventisei. - Qual è il tuo indirizzo? Piazza Rovereto 7.

5 sei → è; sei → è; fai → fa; Lavori → Lavora; lavori → lavora

6 l'; lo; l'; La; una; la; una; lo; un; il

7 avvocatessa; giornalista; farmacista; commesso; infermiera; cuoca; insegnante; operaia; impiegato

LEZIONE 3

1 1. SPUMANTE; 2. CAFFÈ; 3. ARANCIATA; 4. CAPPUCCINO; 5. BIRRA; 6. LATTE; Soluzione: MANCIA

2 Io prendo…; Io vorrei…; Per me invece…; Scusi, mi porta ancora…

3 singolare: aperitivo – cappuccino – gelato – latte – crema – spremuta – limone
plurale: aranciate – marmellate – bicchieri – pizze – cornetti – birre
singolare + plurale: tè – toast – caffè – bar

4 1. prendiamo, un', una; 2. prende, un; 3. prendete, una; 4. prendo, un, un; 5. prendi, Un, un; 6. prendono, un, una

5

infinito	preferire	volere
io	preferisco	voglio
tu	preferisci	vuoi
lui, lei, Lei	preferisce	vuole
noi	preferiamo	vogliamo
voi	preferite	volete
loro	preferiscono	vogliono

6 1. voglio; 2. preferiscono; 3. preferiamo; 4. Vuole; 5. Volete; 6. preferisce; 7. vuoi; 8. preferisco

7 l'; le; gli; il; i; la; l'; le; i; il; l'

8 i gelati – la minestra – affettato – gli strudel – i – il – caffè – il – bar – l' – gli – le fragole – il pesce – i

I nomi in -a hanno il plurale in -e.
I nomi in -o ed -e hanno il plurale in -i.
I nomi che terminano in consonante o con sillaba finale accentata hanno il plurale uguale al singolare.

9 vuole; vorrei; avete; prendo; Prende

10 1. aceto; 2. tovagliolo; 3. aperitivo; 4. gelato; 5. macedonia

11 1. bene; 2. buona; 3. buoni; 4. Buona, Bene; 5. buono; 6. buone, bene

12 Cucina **tipica**; Specialità: **Pasta** fatta in casa; Locale **climatizzato**; Giorno di chiusura: **Domenica**; **Menù** del giorno: € 20

13 b. 1. ʤ; 2. ʧ; 3. ʧ; 4. ʤ; 5. ʤ; 6. ʧ; 7. ʧ; 8. ʤ; 9. ʤ; 10. ʧ

LEZIONE 4

1 1. f; 2. a; 3. d; 4. e; 5. b; 6. c

2 dormo, dorme, dormiamo; gioco, gioca, giochiamo; legge, leggete, leggono; vado, va, andiamo, vanno

a. Le coniugazioni di *dormire* e *leggere* sono uguali, a parte la 2ª pers. pl. (*dormite*, *leggete*). La coniugazione di *giocare* ha una desinenza diversa alla 3ª pers. sing. (-*a* invece di -*e*), alla 2ª pers. pl. (-*ate*) e alla 3ª pers. pl. (-*ano* invece di -*ono*).
b. In *giocare*, alla 2ª pers. sing. e alla 1ª pers. pl. si mette una *h* tra la *c* e la *i*; in questo modo la pronuncia rimane la stessa.
c. In *leggere*, la *g* si pronuncia [g] alla 1ª pers. sing. e alla 3ª pers. pl., in tutti gli altri casi si pronuncia [ʤ].

Soluzioni

3 1. stai, faccio, vado; 2. fa, va, gioca; 3. giocano, vanno; 4. fai, sto, leggo, ascolto, lavoro

4

		1		2				5			3
		G		L							A
4	D	O	R	M	I	T	E	E		F	N
		O		G				A			D
	7		8	C	6	G	I	O	C	H	I
	S		8	V	A	D	O	N		C	A
	T			A		N		I			M
	A			N	9	D	O	R	M	O	N	O
10	S	T	A	N	N	O					
	E			O							

5 1. suona; 2. suoni; 3. Giochiamo; 4. gioco; 5. giocano; 6. suonate

6 1. esce (5); 2. escono (1); 3. esci (3); 4. uscite (2); 5. usciamo (4); 6. esco (3)

7 1. faccio; 2. Mi piace; 3. vado; 4. Mi piacciono; 5. Studio; 6. piace

8 1. piacciono; 2. piace; 3. piace; 4. piace; 5. piacciono; 6. piace; 7. piacciono

9 1. A Patrizia non piace ballare.
2. A te non piace Pavarotti?
3. Non ti piace l'arte moderna?
4. A me non piacciono i libri di fantascienza.
5. Non mi piace cucinare.
6. A Lei non piace l'opera?
7. Non Le piacciono i film italiani?
8. A noi non piace fare sport.

10

4   2   3   1

11 di, a, di, in, di, con, a, a, in, a, con

12 b. 1. Queste sono due amiche di Chiara. 2. Quanti anni ha Carla? 3. Guido parla cinque lingue. 4. Loro guardano la TV o leggono un libro. 5. Anch'io prendo un bicchiere d'acqua.

LEZIONE 5

1 bagno; doccia; internet (Wi-Fi); frigobar; parcheggio; Cani ammessi; Stanza matrimoniale (doppia); Stanza singola

2 io posso, tu puoi, lui / lei / Lei può, noi possiamo, voi potete, loro possono

3 Avete ancora una singola per questa sera? (C); Quanto viene la camera? (C); A che nome scusi? (R); Nella camera c'è la connessione Wi-Fi? (C); Nell'albergo c'è il garage? (C); Per la conferma può mandare una mail? (R)

4 1. SINGOLA; 2. MATRIMONIALE; 3. PARCHEGGIO; 4. SETTIMANA; 5. DOMENICA; 6. DOPPIA; 7. COLAZIONE; Soluzione: LOCANDA

5 bagno - doccia; cappuccino - colazione; cuscino - letto; Wi-Fi - internet; garage - parcheggio

6 ■ Villa **Carlotta**, buongiorno.
▼ Buongiorno. Senta, avete una camera per **il** prossimo fine settimana?
■ Un attimo, per favore. Dunque… sì, c'è **una** matrimoniale. Va bene?
▼ Sì.
■ E… da venerdì o da sabato?
▼ No, venerdì non **posso** venire, quindi solo sabato e domenica.
■ Quindi da sabato 23 a domenica 24 giugno. **Una** sola notte. Perfetto.
▼ Senta, mi **può** dire quanto viene la stanza?
■ Allora, **la** matrimoniale viene 120 a persona, quindi 240 euro, colazione compresa.

7 1. c'è; 2. ci sono; 3. c'è; 4. ci sono; 5. c'è; 6. c'è

8 1. *È possibile avere ancora un asciugamano?*
2. La camera è tranquilla?
3. Quanto viene la camera doppia?
4. Avrei un problema, il frigobar non funziona.
5. Nella camera c'è il televisore?
6. Posso avere un altro cuscino?

9 1. puoi, vengo; 2. Vengono, possono; 3. viene, può; 4. viene; 5. può

10 da + il = dal; in + il = nel; in + la = nella; in + l' = nell'; su + il = sul

11 Nella; posso; dalla; posso; nel; sul

12 1. Nel; 2. Nella; 3. nell'; 4. Nel; 5. dal; 6. al; 7. sul

13 prenotazione, singola, dal, al, Vorrei, balcone, saluti

TEST 2

1 studio; sono; mi piacciono; cantano; Mi piace; lavoro; offre; studiano

2 1.f (vuole); 2.b (preferiamo); 3.d (vado); 4.a (legge); 5.e (viene); 6.c (uscite)

3 l'; gli; le; il; la; le; l'; la; gli; l'

4 1. quante; 2. che cosa, quali; 3. Perché; 4. Quanto

5 Pronomi tonici: A me, A te, A Lei, A Lei, A Lei. Pronomi atoni: Mi, Ti, Le, Le, Le.

6 sul; alla; agli; Dal; al

LEZIONE 6

1 1. Ci; 2. –; 3. –; 4. ci; 5. ci; 6. –; 7. ci; 8. ci

2 degli alberghi cari; un negozio elegante; delle chiese famose; una chiesa interessante; delle città moderne; un edificio moderno; delle pensioni tranquille; una zona industriale; dei ristoranti eleganti; un mercato famoso

I nomi e gli aggettivi in -o hanno il plurale in -i.
I nomi e gli aggettivi in -e hanno il plurale in -i.
I nomi e gli aggettivi in -a hanno il plurale in -e.

3 A Padova c'è una piazza tipica/antica; c'è un'università antica; ci sono dei ristoranti tipici/economici; ci sono delle trattorie tipiche; ci sono degli edifici antichi/tipici; ci sono degli alberghi economici/tipici.

Gli aggettivi in –ca hanno il plurale in –che.
Gli aggettivi in –co hanno il plurale in –chi, se l'accento cade sulla penultima sillaba, e in –ci se l'accento cade sulla terz'ultima.

4 a, per, di, da, a, a, al, per, del, dei, Da, nei, a, A

5 1. molto, molti; 2. molto, molti; 3. molte, molta; 4. molto, molti

6 1. c; 2. d; 3. e; 4. a; 5. b

7 1. sai; 2. sapete; 3. dobbiamo; 4. dovete; 5. sanno, devono; 6. devi; 7. so, devo; 8. sa

8

	+ il	+ lo	+ la	+ l'	+ i	+ gli	+ le
a	al	allo	alla	all'	ai	agli	alle
da	dal	dallo	dalla	dall'	dai	dagli	dalle
di	del	dello	della	dell'	dei	degli	delle
in	nel	nello	nella	nell'	nei	negli	nelle
su	sul	sullo	sulla	sull'	sui	sugli	sulle

9 1. Alla, all'; 2. dall'; 3. dell', delle; 4. sulla; 5. nella; 6. alla, alla; 7. del, dei; 8. all', alla

10 1. c'è; 2. dov'è; 3. c'è; 4. dov'è; 5. dove sono; 6. ci sono; 7. c'è; 8. Dove sono

Quando chiediamo un'informazione su un posto che conosciamo, diciamo *dov'è/dove sono*? Quando chiediamo un'informazione su qualche cosa che non sappiamo se c'è, diciamo *c'è/ci sono*?

11 1. no; 2. sì; 3. sì; 4. no; 5. sì; 6. no

12 Per arrivare all'università vai dritto e poi prendi la prima strada a sinistra. Attraversi una piazza, continui ancora dritto e poi giri a destra (all'angolo c'è un supermercato). Vai ancora avanti e al secondo incrocio giri ancora a destra, in via Calepina. L'università è lì di fronte a una grande chiesa.

LEZIONE 7

1 sono andato/a; avere; ho dormito; essere / stare; ho fatto; guardare; ho passato; telefonare; pranzare; ho preferito; salire; sono arrivato/a; tornare; sono partito/a; visitare; sono entrato/a

2 1. Maria è stata al museo. Maria non ha avuto un momento libero. 2. Noi abbiamo guardato la TV. 3. Enrico è andato al cinema. Enrico è andato al museo. Enrico non ha avuto un momento libero. 4. Alessia è stata al cinema. Alessia è stata al museo. Alessia non ha avuto un momento libero. 5. Matteo e Paola hanno fatto un giro in barca. 6. Io ho dormito a lungo. 7. Federica e Roberta hanno fatto un giro in barca. Federica e Roberta sono tornate a casa a mezzanotte.

3 sei stata; hai fatto; Ho visitato; ho pranzato; ho passato; sei andato; sono salito; ho dormito

4 1. Stamattina ho fatto la spesa.
2. Ieri sera ho guardato la TV.
3. Domenica siamo andate in bicicletta.
4. Ieri notte ho dormito all'aperto.

Soluzioni

5
1. Non ho avuto un momento libero.
2. Ieri Guglielmo ha passato una giornata molto intensa.
3. Hanno pranzato in un ristorante tipico.
4. Ieri Andrea e Fiorenza non sono stati al cinema.
5. Oggi Giuliano non ha dormito bene.
6. A luglio siamo andati in Portogallo.

6
1. domenica, molto interessante / interessantissimo; 2. molto moderno / modernissimo; 3. molto eleganti / elegantissimi; 4. il martedì, il venerdì, molto sportiva / sportivissima; 5. molto famosa / famosissima; 6. molto intense / intensissime

7
regolare: andato, avuto, tornato, dormito
irregolare: messo, fatto, venuto, preso, stato, letto, rimasto

8
sono andati; Hanno preso; hanno fatto; hanno fatto; Sono tornati; hanno cenato; ha fatto; è rimasta; Ha fatto; ha messo; ha letto; ha guardato; è arrivato; sono andati

9
1. sei rimasto, sono andato, avete fatto, Abbiamo preso, siamo andati; 2. ha passato, Sono stata, ha visto; 3. hai fatto, Sono rimasta, ho lavorato, ho messo, ho cucinato, ho stirato; 4. Hai letto, ho ascoltato

10
1. ho mangiato; 2. sono andate; 3. è andato; 4. abbiamo preso; 5. ha letto; 6. ho fatto; 7. ha dormito; 8. è venuta

11
1. tutto il; 2. tutto il; 3. tutta la; 4. tutto il; 5. tutto il; 6. tutta la
La frase si riferisce al disegno n° 3

12

13
1. La settimana scorsa non ho mai lavorato (non ho lavorato mai); 2. Non ho visto niente; 3. Non ho dormito bene; 4. Non piove più; Non ho avuto niente da fare; Non vado mai a ballare; Non fa più caldo; Franco non è rimasto mai a casa

14
1. qualche; 2. delle; 3. qualche; 4. dei; 5. qualche; 6. qualche; 7. qualche; 8. delle

1. ci sono stati dei temporali; 2. qualche passeggiata; 3. dei piatti tipici; 4. qualche museo interessante; 5. ci sono ancora delle nuvole; 6. degli alberghi non troppo cari; 7. delle bottiglie; 8. C'è ancora qualche trattoria aperta?

15
1. Non_ho_avuto_un momento libero. 2. Dopo cena sei stata_al cinema? 3. Guido_è_andato_ al mare per_una settimana. 4. Siete tornati_al_ lago_anche_ieri? 5. Ho_messo_in_ordine la casa. 6. Luca non_è venuto_a scuola. 7. Abbiamo dormito_in_un_albergo_in montagna. 8. Sei_ andato_ad_Assisi da solo o con_amici?

TEST 3

1
1. Dei palazzi antichi; 2. Dei teatri importanti; 3. Delle trattorie tipiche; 4. Degli alberghi tranquilli; 5. Delle università famose; 6. Degli studenti intelligenti; 7. Delle città antiche

2
1. molti; 2. molto; 3. molta; 4. molti; 5. molto; 6. molti, molto

3
1.c; 2.e; 3.d; 4.a; 5.f; 6.b

4
hanno passato; Sono partiti; sono arrivati; hanno fatto; hanno preso; hanno mangiato; ha dormito; ha letto; hanno fatto; ha fatto; Sono tornati

5
a. incrocio; b. dritto; c. semaforo; d. a sinistra; e. a destra

6
sono tornato; siamo andati; abbiamo visitato; abbiamo mangiato; abbiamo trovato; Siamo saliti; sei stato; Aspetto.
sono stato; Abbiamo trovato; siamo stati; Abbiamo fatto; abbiamo fatto; abbiamo praticato; sono tornato; sono; è stata

LEZIONE 8

1

1	A	R	A	N	C	I	A	
2		P	A	T	A	T	E	
3	P	E	P	E	R	O	N	I
4			B	U	R	R	O	
5	C	I	L	I	E	G	I	E
6	C	I	P	O	L	L	A	
7			A	G	L	I	O	
8	P	O	M	O	D	O	R	O

2 1. carne; 2. uova; 3. pesche; 4. uva; 5. pomodori; 6. patate

3 Un pacco di: pasta, riso; Un litro di: latte; Un chilo di: funghi, pasta, arance, patate, cipolle, riso, bistecche, uva, pomodori; Un etto di: prosciutto; Mezzo chilo di: funghi, pasta, arance, patate, cipolle, riso, bistecche, uva, pomodori; Sei: arance, patate, cipolle, bistecche, pomodori

4 1. Com; 2. Com; 3. Cl; 4. Cl; 5. Com; 6. Com; 7. Com; 8. Cl

5 la; lo; ne; Ne; le

6 1. Li; 2. Lo; 3. lo; 4. la; 5. La; 6. li; 7. Le; 8. le

7 1. dell'; 2. del; 3. del, delle; 4. dell'; 5. delle, delle; 6. della; 7. dei

8 1. La frutta la compro quasi sempre al mercato.
2. Il salame lo può affettare molto sottile?
3. Le olive come le vuole? Nere o verdi?
4. La pasta non la mangio quasi mai.
5. Il latte lo vuole fresco o a lunga conservazione?
6. I peperoni li compri tu?

9 1. le; 2. ne; 3. ne; 4. li; 5. lo; 6. ne; 7. ne; 8. la

10 b, f, (Le) - g, (ne) - e, c, (lo) d, a

11 1. si beve; 2. si possono; 3. si vendono; 4. si fanno; 5. si mangia; 6. si usa; 7. si prende

12 cipolla (*o* carota); aglio; carota (*o* cipolla); sedano; olio; carne macinata; vino; pomodoro

Tagliare; rosolare; aggiungere; mescolare; salare; versare; cuocere

13 1. b; 2. p; 3. p; 4. b; 5. b; 6. p; 7. p; 8. b; 9. b; 10. p; 11. b; 12. p; 13. p; 14. b

14 1 barattolo di marmellata: 3 euro e 15 centesimi; 1 caffè al bar: 90 centesimi o un euro; un chilo di fusilli: un euro e 79 centesimi; un litro di latte: un euro e 57 centesimi; un litro d'olio: 5 euro e 69 centesimi; un litro d'acqua: 55 centesimi

LEZIONE 9

1 1. alle, dalle, alle, tra, alle; 2. alle, Dalle, alle, alle, delle

2 1. il giovedì; 2. luglio; 3. la domenica; 4. aprile; 5. la primavera; 6. l'estate

3 1. la sera; 2. il martedì; 3. tutti i sabati; 4. tutte le mattine

4 si alza; fa; si prepara; va; esce; comincia

5 1. spesso; 2. mai; 3. una volta; 4. tutte; 5. presto

6 1. si alza (5); 2. si riposano (1); 3. prendi (2); 4. vi vedete (3); 5. mangiamo (4)

7 1. ci laviamo; 2. mi vesto; 3. si vestono; 4. si lavano; 5. ti lavi; 6. si veste

8 1. ci alziamo; 2. si riposa; 3. si svegliano, si alzano, si vestono; 4. vi riposate; 5. ti alzi; 6. mi lavo

9 7.10: alzarsi, lavarsi e vestirsi; 8.00: uscire di casa e andare in banca, dove lavorare; 17.00: finire di lavorare e tornare a casa; 17.30: riposarsi un po'

La mattina mi sveglio alle sette. Alle sette e dieci mi alzo, (poi) mi lavo e mi vesto. Alle sette e mezza faccio colazione. Alle otto esco di casa e vado in banca, dove lavoro. Comincio a lavorare alle otto e mezza.

Fra l'una e le due faccio (sempre) una pausa per il pranzo. Alle cinque finisco di lavorare e torno a casa. (Prima) mi riposo un po', (poi) alle otto ceno. (Spesso) guardo la televisione o (a volte) leggo un po'. Alle undici vado a letto.

La mattina Luca si sveglia alle sette. Alle sette e dieci si alza, (poi) si lava e si veste. Alle sette e mezza fa colazione. Alle otto esce di casa e va in banca, dove lavora. Comincia a lavorare alle otto e mezza. Fra l'una e le due fa (sempre) una pausa per il pranzo. Alle cinque finisce di lavorare e torna a casa. (Prima) si riposa un po', (poi) alle otto cena. (Spesso) guarda la televisione o (a volte) legge un po'. Alle undici va a letto.

10 *La pasta:* sughi, perfettamente; *Il calcio:* fanno, estate; *Il caffè:* bevono, velocemente; *I gesti:* usano, parole

11 Natale; Ferragosto; Capodanno

12 1. Tanti auguri! 2. Buon viaggio! /Buone vacanze! 3. Buon Natale! 4. Buon anno! 5. Buona Pasqua! 6. In bocca al lupo! 7. Congratulazioni!

13 a. 1. t; 2. tt; 3. tt; 4. t; 5. t; 6. tt
b. 1. p; 2. pp; 3. pp; 4. p; 5. pp; 6. p
c. 1. mm; 2. m; 3. mm; 4. m; 5. mm; 6. m
d. 1. n; 2. nn; 3. n; 4. nn; 5. nn; 6. n
e. lati, mattina, città, vita, sete, sette; aperto, appetito, Giuseppe, pepe, troppo, dopo; commessa, come, mamma, amare, grammo, salame; mano, donna, persona, innamorato, compleanno, divano

LEZIONE 10

1

2 Vivi da solo?
Sì, e tu?
Anch'io. I miei vivono a Lucca.
E hai fratelli?
No, sono figlia unica. E tu?
Io ho un fratello e una sorella.
Più grandi o più piccoli di te?
Mia sorella è più grande e mio fratello più piccolo.
Ah. E vivono da soli o con i tuoi?
Mio fratello vive da solo, mia sorella, invece, vive ancora con i miei.

3 1. il fiume più lungo/b; 2. l'isola più grande/c; 3. la città più grande/c; 4. il monte più alto/b; 5. la regione più piccola/a

Bravo, conosci bene la geografia!

4 1. d / g; 2. c / e; 3. f / h; 4. b / l; 5. a / i

5 1. nipote; 2. cugina; 3. suocero; 4. suocera; 5. zio; 6. nipote

6 1. I nostri; 2. Tua; 3. la mia; 4. I tuoi; 5. i vostri; 6. suo, il suo; 7. la vostra; 8. I miei; 9. il vostro; 10. i tuoi o i miei

7 1. Tua; 2. il suo; 3. il loro; 4. le mie; 5. mio; 6. I miei

8 Mia, sua, mia, Mio, i miei, Mia, le sue, i miei

9 1. I miei; 2. le tue; 3. sua; 4. la loro; 5. il Suo; 6. il vostro; 7. i tuoi; 8. la mia, miei; 9. il tuo; La tua

10 Luca e Daniele | si sono trasferiti | in città; Mia sorella | si è sposata | con un mio compagno di classe; Roberto | si è arrabbiato | perché la sorella gli ha preso la macchina; Tu | ti sei alzata | presto questa mattina; Io e Claudio | ci siamo incontrati | per caso in treno; Tu e mia sorella | vi siete visti | una volta al compleanno di mio fratello

11 1. si sono divertiti; 2. mi sono riposato/-a; 3. ha preso, si è alzata, ha perso; 4. si è dedicato; 5. vi siete sposati; 6. sono andati; 7. ho cambiato; 8. ti sei arrabbiato

12 famiglia di origine; mammismo; coppia; convivenza; famiglie di fatto

TEST 4

1 – – 2. mai; – 5. raramente; + 4. qualche volta; ++ 1. di solito; +++ 3. normalmente; ++++ 6. sempre

2 mi alzo; mi lavo; mi vesto; si sveglia; ci mettiamo; ci alziamo

3 1. ti alzi; 2. ci alziamo; ti vesti; ti lavi

4 1. la regione più piccola; 2. il museo meno visitato; 3. la città più grande; 4. il lago più grande; 5. il comune meno popolato

5 1. X tuo; 2. la loro; 3. i miei; 4. X sua

6 la mia; la mia; mia; mio; Il mio; Mia; Suo; i loro; la mia; i miei

7 mi sono sposata; ci siamo messe; ci siamo emozionati; mi sono addormentata; mi sono svegliata; ci siamo divertiti; ci siamo stancati

NUOVO Espresso 1 è stato concepito a partire da *Espresso 1*, di Luciana Ziglio e Giovanna Rizzo e per la lezione 10 da *Espresso 2* di Maria Balì e Giovanna Rizzo oltre che da *Espresso 1 - edizione aggiornata* di Luciana Ziglio e Giovanna Rizzo e per la lezione 10 da *Espresso 2 - edizione aggiornata* di Maria Balì e Giovanna Rizzo (con la collaborazione di Maria Balì, Ciro Massimo Naddeo, Euridice Orlandino e Chiara Sandri).

I nuovi contenuti di questa edizione di **NUOVO Espresso 1** sono stati elaborati da Marco Dominici, Carlo Guastalla e Ciro Massimo Naddeo.

© 2014 ALMA Edizioni – Firenze
Tutti i diritti riservati

Layout e copertina: Lucia Cesarone
Disegni: ofczarek!
Impaginazione: Gabriel de Banos

Printed in Italy
ISBN 978-88-6182-318-1

Nota: l'attività 11 della Lezione 4 a pagina 53 è un'idea di Paolo Torresan, a cui va il nostro ringraziamento.

ALMA Edizioni
Viale dei Cadorna, 44
50129 Firenze
tel +39 055 476644
fax +39 055 473531
alma@almaedizioni.it
www.almaedizioni.it